の巻《かん》の　おもな登場人物《とうじょうじんぶつ》／年表《ねんびょう》

飛鳥時代《あすかじだい》　　奈良時代《ならじだい》

700　　750

701　聖武天皇《しょうむてんのう》

718　孝謙天皇《こうけんてんのう》（称徳天皇《しょうとくてんのう》）

709　光仁天皇《こうにんてんのう》

733　淳仁天皇《じゅんにんてんのう》

659　藤原不比等《ふじわらのふひと》　720　　737

680　藤原武智麻呂《ふじわらのむちまろ》　737

681　藤原房前《ふじわらのふささき》　737

684　長屋王《ながやおう》　729

693　吉備真備《きびのまきび》

684　橘 諸兄《たちばなのもろえ》

706　藤原仲麻呂《ふじわらのなかまろ》

?　道鏡《どうきょう》

733

?　大伴家持《おおとものやかもち》

668　行基《ぎょうき》　749

689　良弁《ろうべん》

701　光明皇后《こうみょうこうごう》

688　鑑真《がんじん》

奈良《なら》の大仏《だいぶつ》　聖武天皇《しょうむてんのう》の願《ねが》いによってつくられた，高《たか》さ約《やく》16メートル，重《おも》さ約《やく》380トンの，世界最大《せかいさいだい》の金銅仏《こんどうぶつ》。奈良県東大寺《ならけんとうだいじ》。

奈良《なら》の都《みやこ》　平城京《へいじょうきょう》

平城京《へいじょうきょう》は七一〇年《ねん》から七八四年《ねん》まで、途中《とちゅう》の数年間《すうねんかん》をのぞいて約《やく》七〇年間《ねんかん》、都《みやこ》としてさかえました。ここには天皇《てんのう》のすまいである内裏《だいり》をはじめ、役所《やくしょ》、寺《てら》、市《いち》などの建物《たてもの》や役人《やくにん》たちのすむ家《いえ》があり、天皇《てんのう》、貴族《きぞく》から庶民《しょみん》まで多《おお》くの人《ひと》びとが生活《せいかつ》していました。

平城京《へいじょうきょう》は東西約《とうざいやく》4.3キロ，南北約《なんぼくやく》4.8キロの広《ひろ》さで，東西南北《とうざいなんぼく》をまっすぐにはしる道《みち》によって碁盤《ごばん》の目《め》のように区画《くかく》された計画都市《けいかくとし》です。

貴族《きぞく》の住宅《じゅうたく》　敷地《しきち》は塀《へい》などでいくつかに区画《くかく》され，すむところ，政治《せいじ》の仕事《しごと》や儀式《ぎしき》をおこなう場所《ばしょ》，使用人《しようにん》のすまいや作業所《さぎょうじょ》，倉庫《そうこ》などがあり，数万平方《すうまんへいほう》メートルの広《ひろ》さでした。

宮内省復元建物《くないしょうふくげんたてもの》　天皇《てんのう》のすまいをとりまくように建《た》てられていました。宮内省《くないしょう》は，天皇《てんのう》の食膳《しょくぜん》のことなど，宮廷《きゅうてい》のさまざまな事務《じむ》を担当《たんとう》する役所《やくしょ》です。

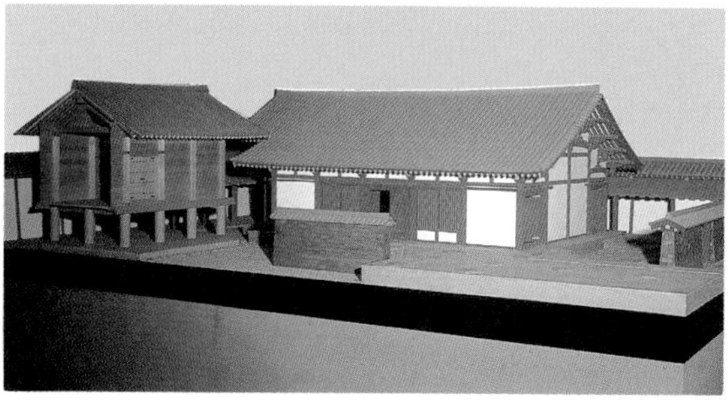

平城宮《へいじょうきゅう》の政庁復元模型《せいちょうふくげんもけい》　これは内裏《だいり》の東方《とうほう》でみつかった建《たて》物《もの》で，塼《せん》というレンガ状《じょう》のタイルでできた基壇《きだん》や舗道《ほどう》がありました。太政官《だいじょうかん》のあとといわれます。

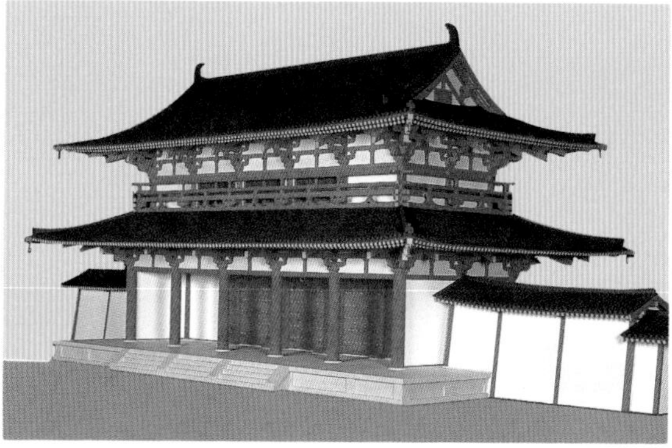

平城京朱雀門復元模型《へいじょうきょうすざくもんふくげんもけい》　２階建《かいだ》ての朱雀門《すざくもん》は，高《たか》さが約《やく》20メートルもあったといわれます。門《もん》の前《まえ》では，さまざまな朝廷《ちょうてい》の儀式《ぎしき》がおこなわれました。

平城京復元模型《へいじょうきょうふくげんもけい》

下級役人《かきゅうやくにん》の家《いえ》　位《くらい》が低《ひく》くなればなるほど敷地《しきち》はせまくなり，宮《きゅう》城《じょう》からも遠《とお》くなりました。

さかえた天平《てんぴょう》の仏教文化《ぶっきょうぶんか》

天平時代《てんぴょうじだい》、仏教《ぶっきょう》の力《ちから》によって国《くに》を災害《さいがい》や外敵《がいてき》からまもるという考《かんが》え方《かた》により、天皇《てんのう》・貴族《きぞく》が先頭《せんとう》にたって仏教《ぶっきょう》をさかんにしました。聖武天皇《しょうむてんのう》は、全国《ぜんこく》に国分寺《こくぶんじ》と国分尼寺《こくぶんにじ》をつくり、貴族《きぞく》たちもきそって寺《てら》を建《た》てました。当時《とうじ》の文化《ぶんか》のすがたは、仏像《ぶつぞう》などにのこっています。

た寺《てら》。これは当時《とうじ》のままのこっている金堂《こんどう》。奈良県《ならけん》。

新薬師寺迷企羅像《しんやくしじめきらぞう》　新薬師寺《しんやくしじ》の十二神将像《じゅうにしんしょうぞう》の一《ひと》つ。十二神《じゅうにしん》将《しょう》は薬師如来《やくしにょらい》を守護《しゅご》する神《かみ》さまです。

興福寺阿修羅像《こうふくじあしゅらぞう》　興福寺《こうふくじ》の西《さい》金堂《こんどう》にあった像《ぞう》。阿修羅《あしゅら》は古《こ》代《だい》インドでは闘争《とうそう》の神《かみ》とされており，仏教《ぶっきょう》では法《ほう》をまもる神《かみ》と考《かんが》えられました。

東大寺広目天像《とうだいじこうもくてんぞう》　東大寺《とうだいじ》の戒壇堂《かいだんどう》に置《お》かれた四天王像《してんのうぞう》の一《ひと》つです。広目天《こうもくてん》は仏法《ぶっぽう》をまもる神《かみ》で，手《て》には筆《ふで》と経典《きょうてん》をもっています。

東大寺不空羂索観音像《とうだいじふくうけんじゃくかんのんぞう》　東大寺法華堂《とうだいじほっけどう》の本尊《ほんぞん》で，多《おお》くの人《ひと》びとをすくうための道具《どうぐ》をもっています。

唐招提寺《とうしょうだいじ》　鑑真《がんじん》によって建《た》てられ

鑑真像《がんじんぞう》　戒律《かいりつ》の師《し》として日本《にほん》にまねかれ，6度目《どめ》の渡航《とこう》で来日《らいにち》。唐招提寺《とうしょうだいじ》。

唐招提寺盧舎那仏像《とうしょうだいじるしゃなぶつぞう》

唐招提寺金堂《とうしょうだいじこんどう》の本尊《ほんぞん》。盧舎那仏《るしゃなぶつ》とは，「みずから光《ひかり》かがやき，すべてをてらす仏陀《ぶっだ》」という意味《いみ》です。

東大寺復元模型《とうだいじふくげんもけい》　聖武天皇《しょうむてんのう》が仏法《ぶっぽう》による平和《へいわ》を願《ねが》い，全国《ぜんこく》にある国分《こくぶん》寺《じ》の中心《ちゅうしん》(総国分寺《そうこくぶんじ》)として建《た》てた寺《てら》で，本尊《ほんぞん》は大仏《だいぶつ》(盧舎那大仏《るしゃなだいぶつ》)です。東大寺《とうだいじ》の造営《ぞうえい》にはばくだいな資金《しきん》と労力《ろうりょく》がかかり，工事《こうじ》も奈良時代《ならじだい》をとおしてつづきました。

正倉院《しょうそういん》にのこる世界《せかい》の宝物《たからもの》

正倉院《しょうそういん》は、もともと東大寺《とうだいじ》に付属《ふぞく》する倉庫《そうこ》で、聖武天皇《しょうむてんのう》の所蔵《しょぞう》した品《しな》じなをはじめ、シルクロードで交易《こうえき》され、遣唐使《けんとうし》などによって日本《にほん》にもたらされた、国際色《こくさいしょく》ゆたかな文物《ぶんぶつ》が、宝物《ほうもつ》としておさめられています。「シルクロードの終着駅《しゅうちゃくえき》」といわれる正倉院《しょうそういん》は、当時《とうじ》の宝物《たからもの》が保存《ほぞん》された「タイムカプセル」なのです。

紺瑠璃杯《こんるりはい》

正倉院宝庫《しょうそういんほうこ》　正倉院《しょうそういん》を代表《だいひょう》する建物《たてもの》で，高温多湿《こうおんたしつ》の日本《にほん》の気候《きこう》にあわせた高床式《たかゆかしき》，校倉《あぜくら》づくりの木造倉庫《もくぞうそうこ》です。しかし，宝物《ほうもつ》は現在《げんざい》，防災上《ぼうさいじょう》の理由《りゆう》から，新《あたら》しい宝庫《ほうこ》にうつされ，保存《ほぞん》されています。奈良県《ならけん》。

螺鈿紫檀五絃琵琶《らでんしたんごげんのびわ》と琵琶《びわ》のばち

金銀平文琴《きんぎんへいもんきん》

平螺鈿背八角鏡《へいらでんはいのはっかくきょう》

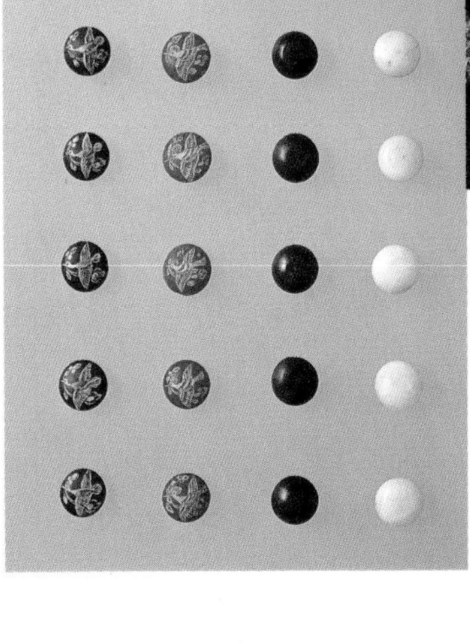

碁子《きし》

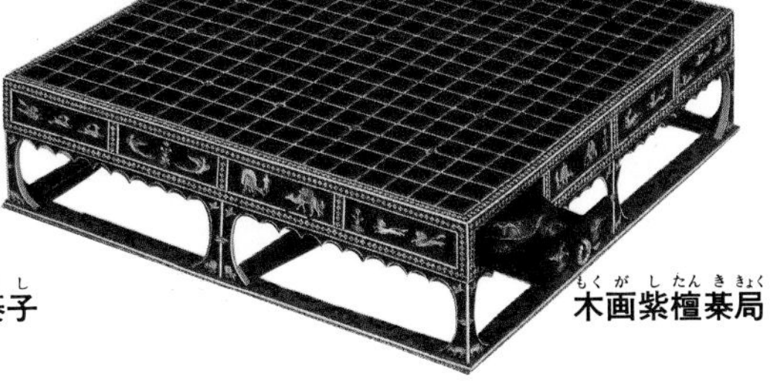

木画紫檀碁局《もくがしたんききょく》

八世紀《せいき》の世界《せかい》

八世紀《せいき》のなかごろ東《ひがし》アジアでは唐《とう》がさかえ、まわりの国《くに》ぐにに文化《ぶんか》・制度《せいど》で大《おお》きな影響《えいきょう》をあたえました。西《にし》アジアではイスラム帝国《ていこく》がさかえ、学問《がくもん》や技術《ぎじゅつ》が発達《はったつ》しました。いっぽうヨーロッパでは、現在《げんざい》のフランスとドイツを中心《ちゅうしん》とするフランク王国《おうこく》が力《ちから》をもつようになりました。

唐大明宮含元殿《とうだいめいきゅうがんげんでん》の復元図《ふくげんず》　唐《とう》の長安《ちょうあん》につくられた大明宮《だいめいきゅう》の正殿《せいでん》。

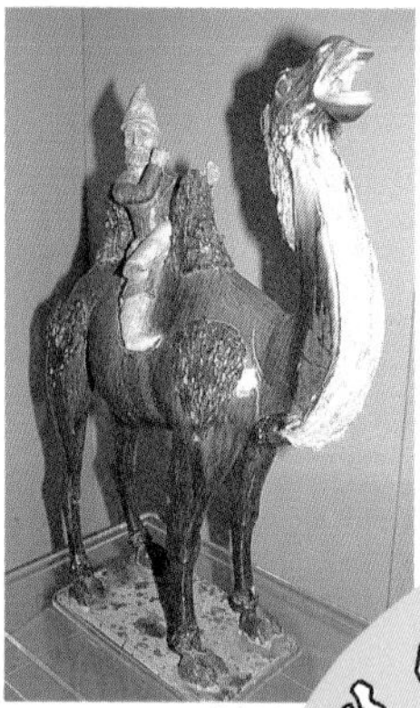

唐三彩《とうさんさい》　白《しろ》・緑《みどり》・褐色《かっしょく》の三《みっ》つの色調《しきちょう》の陶器《とうき》で，唐《とう》の貴族《きぞく》の墓《はか》におさめられていました。写真《しゃしん》はラクダと異国《いこく》の人《ひと》びと。

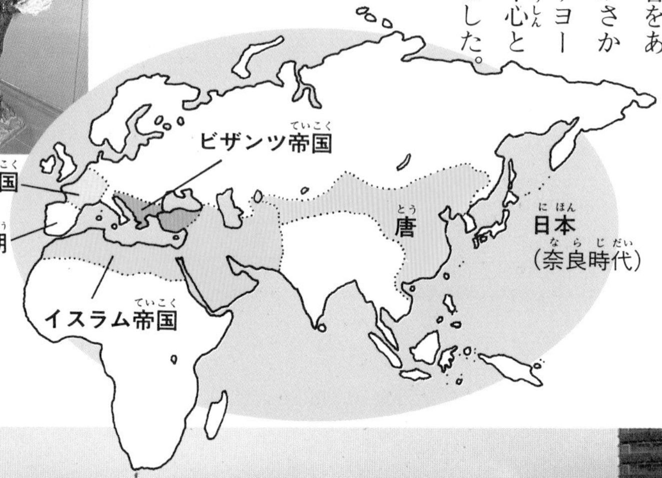

バグダッド　イスラム帝国《ていこく》アッバース朝《ちょう》の首都《しゅと》。円形《えんけい》の城《しろ》を中心《ちゅうしん》にひろがる都市《とし》で，唐《とう》の長安《ちょうあん》とならぶ国際都市《こくさいとし》としてさかえました。（写真《しゃしん》は現在《げんざい》のバグダッド）

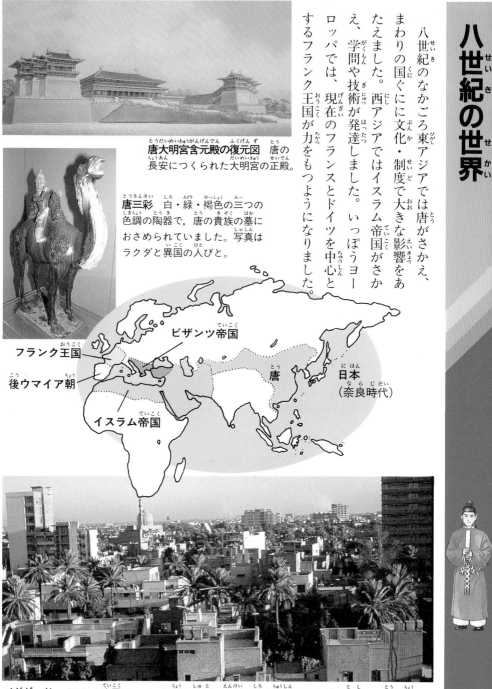

集英社版・学習漫画

日本《にほん》の歴史《れきし》 4

花《はな》さく奈良《なら》の都《みやこ》 奈良時代

監修／明治大学教授 吉村武彦
シナリオ／稲垣 純
漫画／岩井 渓

集英社

学習漫画 日本の歴史 4

花《はな》さく奈良《なら》の都《みやこ》

もくじ

和同開珎

おもな登場人物《とうじょうじんぶつ》

行基《ぎょうき》
光明《こうみょう》皇后《こうごう》
聖武《しょうむ》天皇《てんのう》
橘　諸兄《たちばなのもろえ》
長屋王《ながやおう》
藤原不比等《ふじわらのふひと》

藤原《ふじわらの》
仲麻呂《なかまろ》
孝謙《こうけん》
天皇《てんのう》
鑑真《がんじん》
道鏡《どうきょう》
阿倍仲麻呂《あべのなかまろ》
太安万侶《おおのやすまろ》

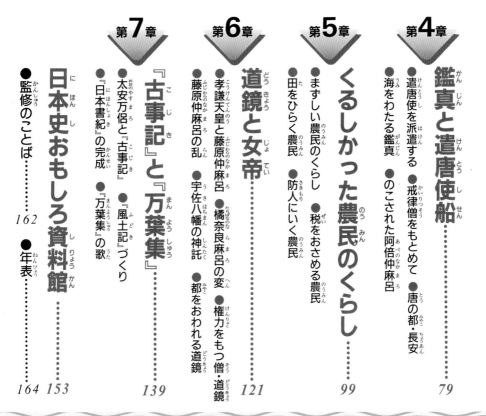

はじめに

奈良《なら》の都《みやこ》と国《くに》づくり

学習漫画《がくしゅうまんが》「日本《にほん》の歴史《れきし》」(全《ぜん》二〇巻《かん》)は、小《しょう》・中学校《ちゅうがっこう》学習指《がくしゅうし》導要領《どうようりょう》にもとづき、「日本《にほん》の国《くに》や社会《しゃかい》の発展《はってん》に大《おお》きなはたらきをした歴史上《れきしじょう》の人物《じんぶつ》や文化遺産《ぶんかいさん》に関心《かんしん》と理解《りかい》をふかめる」ことに主眼《しゅがん》を置《お》いて編集《へんしゅう》されています。

この巻《かん》は、奈良《なら》の平城京《へいじょうきょう》に都《みやこ》がうつってから、七〇年《ねん》あまりの「奈良時代《ならじだい》」をあつかっています。奈良《なら》の平城京《へいじょうきょう》は、天《てん》皇《のう》のすむ内裏《だいり》をはじめ、朝廷《ちょうてい》の役所《やくしょ》、貴族《きぞく》の邸宅《ていたく》や唐風《とうふう》の寺《じ》院《いん》が建《た》てられ、一〇万人《まんにん》もの人《ひと》びとがすむ本格的《ほんかくてき》な都《みやこ》でした。

朝廷《ちょうてい》は平城京《へいじょうきょう》を中心《ちゅうしん》に律令政治《りつりょうせいじ》をおし進《すす》め、遣唐使船《けんとうしせん》をだして中国《ちゅうごく》の文化《ぶんか》をとりいれ、仏教《ぶっきょう》を保護《ほご》して国《くに》の平安《へいあん》をいのるなど、国家《こっか》の発展《はってん》に力《ちから》をつくしました。

しかし皇族《こうぞく》の争《あらそ》いがはじまり、さらに凶作《きょうさく》がおこり、伝染《でんせん》病《びょう》が流行《りゅうこう》するなどして、国《くに》はみだれました。

この本《ほん》のきまり

一、人名《じんめい》や地名《ちめい》、事件名《じけんめい》などの表記《ひょうき》は、小《しょう》・中学校《ちゅうがっこう》の教科書《きょうかしょ》にもとづきました。

一、年代《ねんだい》は、原則《げんそく》として西暦《せいれき》であらわし、明治時代以後《めいじじだいいご》は、必要《ひつよう》におうじて、年号《ねんごう》(元号《げんごう》)を併記《へいき》しました。

一、表記《ひょうき》は、原則《げんそく》として常用漢字《じょうようかんじ》および現代《げんだい》かなづかいを用《もち》いています。使用《しよう》する漢字《かんじ》は、小学《しょうがく》四年生《ねんせい》までに習《なら》う教育漢字《きょういくかんじ》を基準《きじゅん》とし、すべての漢字《かんじ》にふりがなをつけました。

一、登場人物《とうじょうじんぶつ》の年齢《ねんれい》は、「満《まん》」ではなく、「数《かぞ》え年《どし》」であらわしました。

一、歴史地名《れきしちめい》は、旧国名《きゅうこくめい》とともに現《げん》在《ざい》の都道府県名《とどうふけんめい》を併記《へいき》しました。

第1章 聖武天皇《しょうむてんのう》と奈良《なら》の都《みやこ》

平城京《へいじょうきょう》復元《ふくげん》模《も》型《けい》　奈良市《ならし》

七一〇年《ねん》、都《みやこ》は飛鳥《あすか》の地《ち》から奈良《なら》にうつされました。この都《みやこ》を平城京《へいじょうきょう》といいます。以後《いご》、七〇年《ねん》あまりつづきます。「奈良《なら》時代《じだい》」のはじまりです。

藤原氏《ふじわらし》のあとおしで即位《そくい》した聖武天皇《しょうむてんのう》は、あつく仏教《ぶっきょう》を信仰《しんこう》し、仏教《ぶっきょう》の力《ちから》で国《くに》の平安《へいあん》と人《ひと》びとの幸《しあわ》せをいのる政治《せいじ》をしましたが、長屋王《ながやおう》の変《へん》がおこり、伝《でん》染病《せんびょう》が流行《りゅうこう》し、藤原広嗣《ふじわらのひろつぐ》が反乱《はんらん》をおこすなど国《くに》の政治《せいじ》が乱《みだ》れました。そこで天皇《てんのう》は、各地《かくち》に都《みやこ》をうつし、やがて大仏《だいぶつ》づくりを思《おも》いたちました。

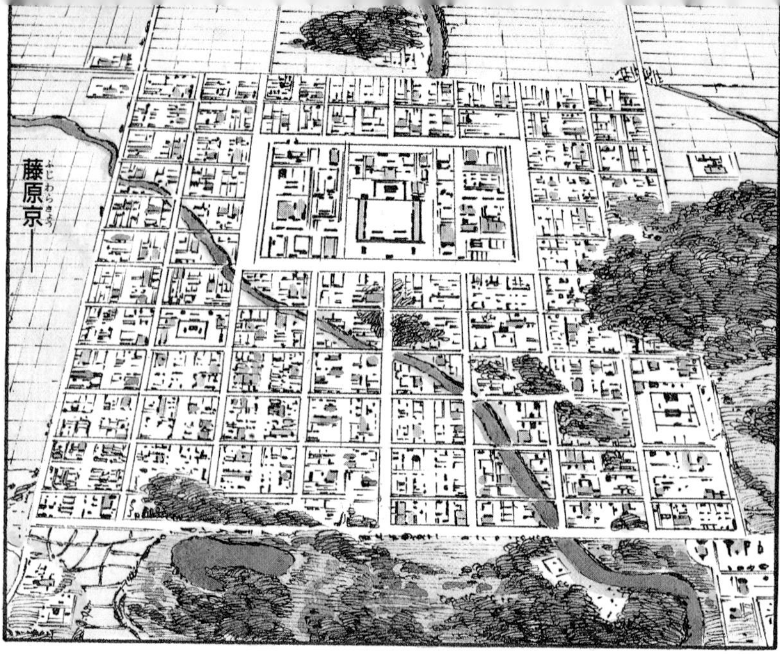
藤原京《ふじわらきょう》

文武天皇《もんむてんのう》と元明天皇《げんめいてんのう》

七〇二年《ねん》、文武天皇《もんむてんのう》の祖母《そぼ》、＊持統太上天皇《じとうだいじょうてんのう》がなくなりました。
政治《せいじ》の実権《じっけん》をもっていた持統太上天皇《じとうだいじょうてんのう》がなくなられ
これからどうするのだろう？
孫《まご》の文武《もんむ》のミカドはいまだ二〇歳《はたち》…
なーに親王《しんのう》をはじめ阿倍右大臣《あべのうだいじん》や石上《いそのかみ》　藤原《ふじわら》などのかたがたがうまくやるさ

＊太上天皇《だいじょうてんのう》とは、天皇《てんのう》の位《くらい》をゆずった人《ひと》のことで、太上皇《だいじょうこう》、上皇《じょうこう》ともいいます。持統太上天皇《じとうだいじょうてんのう》がはじめてでした。

このころ朝廷《ちょうてい》で力《ちから》をもちはじめたのが、藤原鎌足《ふじわらのかまたり》の子《こ》不比等《ふひと》でした。
不比等《ふひと》はむすめの宮子《みやこ》を文武天皇《もんむてんのう》にとつがせて首皇子《おびとおうじ》（のちの聖武《しょうむ》天皇《てんのう》）をうませ、天皇家《てんのうけ》とのむすびつきをふかめようとしていました。
首皇子《おびとおうじ》は元気《げんき》にすごされておられます
わたしも首皇子《おびとおうじ》が成長《せいちょう》するまでがんばらなければ…
なんなりとおもうしつけください
文武天皇《もんむてんのう》
わかった！

母《はは》の実家《じっか》でそだった皇子《おうじ》

このころ、天皇家《てんのうけ》や貴族《きぞく》の生活《せいかつ》では、子《こ》どもは母《はは》の実家《じっか》でそだてられることがふつうでした。首皇子《おびとおうじ》も母《はは》である藤原宮子《ふじわらのみやこ》の実家《じっか》、つまり不比等《ふひと》の家《いえ》にすんでいたのです。不比等《ふひと》は自分《じぶん》のむすめのうんだ首皇子《おびとおうじ》を天皇《てんのう》にし、自分《じぶん》が天皇《てんのう》の祖父《そふ》になることで政治《せいじ》の実権《じっけん》をにぎろうとしていました。

かつての蘇我氏《そがし》のやりかたを学《まな》んだのです。

母《はは》の実家《じっか》でそだつ皇子《おうじ》

しかし文武天皇《もんむてんのう》もわずか二五歳《さい》でなくなり、文武《もんむ》天皇《てんのう》の母《はは》が即位《そくい》して、*元《げん》明天皇《めいてんのう》となりました。
おさない首皇子《おびとおうじ》が成長《せいちょう》するまで…
おたすけしますのでがんばってください
七〇八年《ねん》、朝廷《ちょうてい》に武蔵国《むさしのくに》秩父郡《ちちぶぐん》(埼《さい》玉県《たまけん》)から、銅《どう》が献《けん》上《じょう》されました。
わが国《くに》も法律《ほうりつ》がととのい国《くに》のしくみがしっかりしてまいりました
唐《とう》の国《くに》にならってお金《かね》をつくりましょう
この銅《どう》で銅銭《どうせん》をつくり
人《ひと》びとに使《つか》わせるのです
それはよいことです

***元明天皇《げんめいてんのう》**は天智天皇《てんじてんのう》の娘《むすめ》(皇女《おうじょ》)。天武《てんむ》・持統天皇《じとうてんのう》の子《こ》の草壁皇子《くさかべのおうじ》の妻《つま》で、文武天皇《もんむてんのう》の母《はは》でした。

はじめてのお金《かね》

＊和同開珎《わどうかいちん》は日本《にほん》ではじめてつくられたお金《かね》でした。

これで物《もの》が買《か》えるなんて…
なんだか信《しん》じられないなぁ
それよりお守《まも》りにでもしよう！
そうだなわしらはいままでのように布《ぬの》でコメや野菜《やさい》を買《か》おう

＊このときつくられた**和同開珎《わどうかいちん》**は、都《みやこ》のまわりでしか使《つか》われませんでした。

皇朝十二銭《こうちょうじゅうにせん》

朝廷《ちょうてい》は、七〇八年《ねん》に和同開珎《わどうかいちん》をつくりました。そして役人《やくにん》の給与《きゅうよ》の大半《たいはん》をこのお金《かね》でしはらうようにしました。お金《かね》は材料《ざいりょう》の金属《きんぞく》よりも高《たか》い価値《かち》をつけられたので、朝廷《ちょうてい》にとっては大《おお》きな収入《しゅうにゅう》となり、平城京《へいじょうきょう》の都《みやこ》づくりなどにあてられました。この先《さき》も九五八年《ねん》まで十二種類《しゅるい》のお金《かね》がつくられました。

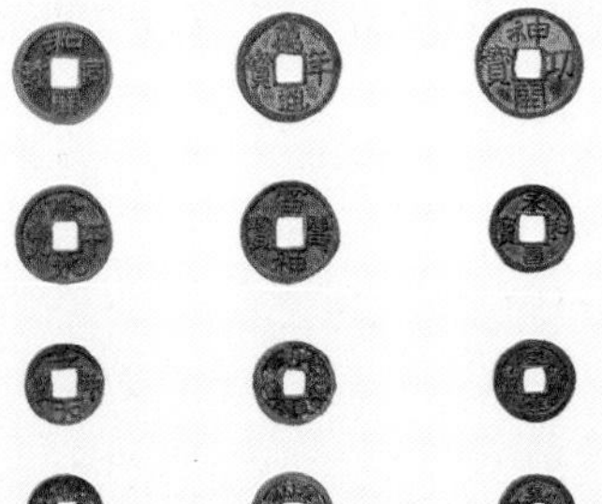
皇朝十二銭《こうちょうじゅうにせん》

平城京《へいじょうきょう》の都《みやこ》づくり

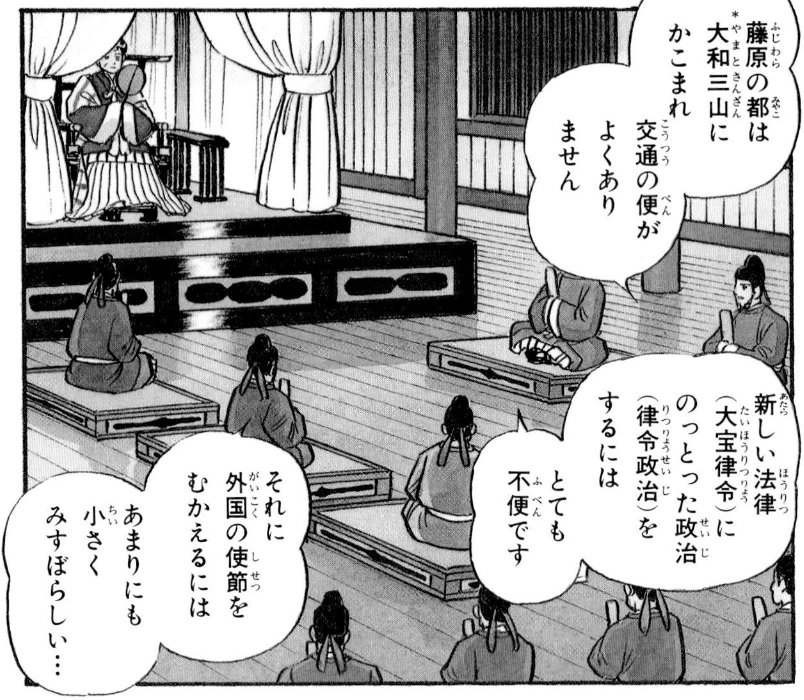

*大和三山《やまとさんざん》とは、奈良県《ならけん》の飛鳥地方《あすかちほう》にある畝傍山《うねびやま》、天香具山《あまのかぐやま》、耳成山《みみなしやま》の三つの山《やま》のことです。

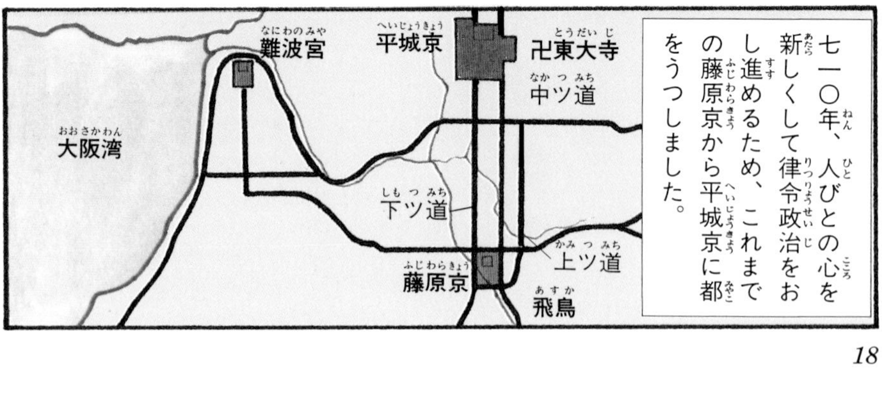

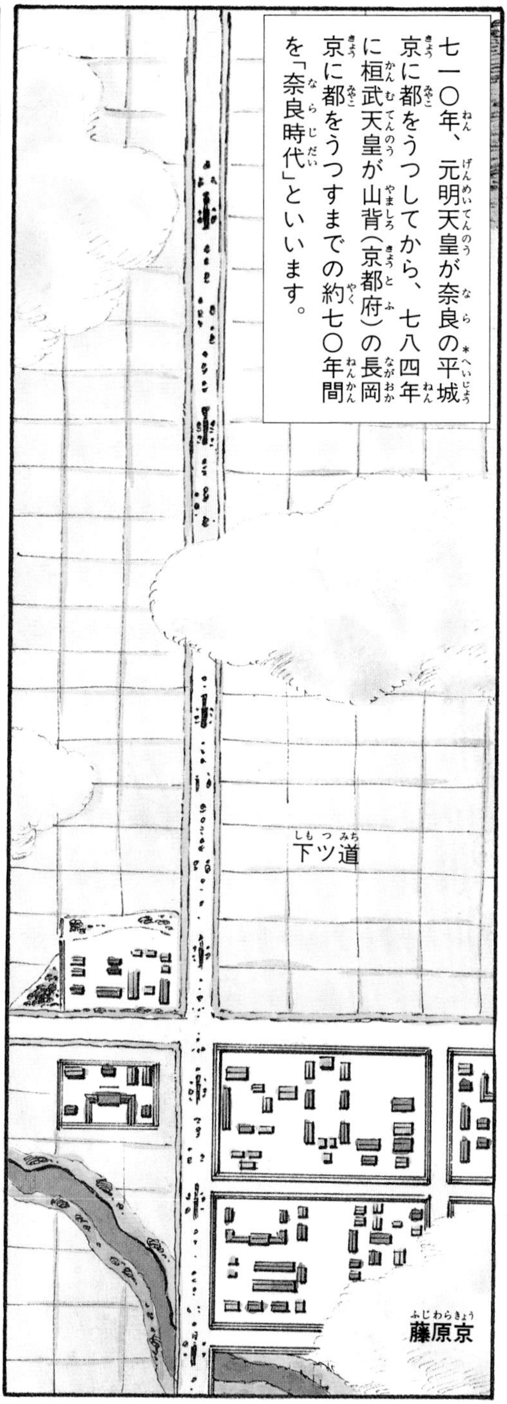
七一〇年《ねん》、元明天皇《げんめいてんのう》が奈良《なら》の＊平城《へいじょう》京《きょう》に都《みやこ》をうつしてから、七八四年《ねん》に桓武天皇《かんむてんのう》が山背《やましろ》(京都府《きょうとふ》)の長岡《ながおか》京《きょう》に都《みやこ》をうつすまでの約《やく》七〇年間《ねんかん》を「奈良時代《ならじだい》」といいます。
下ツ道《しもつみち》
藤原京《ふじわらきょう》

＊藤原京《ふじわらきょう》の建物《たてもの》や寺院《じいん》は解体《かいたい》されて、**平城京**《へいじょうきょう》にはこばれました。

首皇子《おびとおうじ》 これがあなたの都《みやこ》です
すごい ねー
都《みやこ》は唐《とう》（中国《ちゅうごく》）の長安《ちょうあん》をもとにつくられます
左京《さきょう》
右京《うきょう》
大《おお》きな通《とお》りだね
はい 都《みやこ》は中央《ちゅうおう》を南北《なんぼく》にはしる朱雀大路《すざくおおじ》によって
大《おお》きく左京《さきょう》と右京《うきょう》にわかれます
朱雀大路《すざくおおじ》
この道《みち》のつきあたりはなーに？
皇子《おうじ》のすまいであり
政治《せいじ》の中心《ちゅうしん》となる大内裏《だいだいり》です

＊飛鳥《あすか》にあった飛鳥寺《あすかでら》（法興寺《ほうこうじ》）は、平城京《へいじょうきょう》にうつされて元興寺《がんごうじ》とよばれました。

元明天皇《げんめいてんのう》は、奈良《なら》の都《みやこ》づくりを進《すす》めるいっぽう…
人《ひと》びとに和同開珎《わどうかいちん》を使《つか》わせるため、銭《ぜに》をたくわえた者《もの》に位《くらい》をあたえる「蓄銭叙位《ちくせんじょい》令《れい》」をだしました。

一〇貫《かん》ためれば位《くらい》があがるというけれど…
いくらはたらいたって給料《きゅうりょう》はきまってるし…
そんなにたまらないよなぁ…

元明天皇《げんめいてんのう》は首皇子《おびとおうじ》を皇太子《こうたいし》にしたのち、むすめの元正天皇《げんしょうてんのう》に位《くらい》をゆずりました。
首皇子《おびとおうじ》はまだ一四歳《さい》もうしばらくのしんぼうだ！
藤原不比等《ふじわらのふひと》はさらに朝廷《ちょうてい》との関係《かんけい》をふかめるため、むすめの光明子《こうみょうし》を首皇子《おびとおうじ》のきさきとしました。
藤原不比等《ふじわらのふひと》
これで首皇子《おびとおうじ》が天皇《てんのう》となり光明子《こうみょうし》がうんだ男《おとこ》の子《こ》が皇太子《こうたいし》になったら藤原氏《ふじわらし》は天皇家《てんのうけ》でいちばんの親戚《しんせき》…
朝廷《ちょうてい》でのわたしの力《ちから》はゆるぎないものとなる！

藤原不比等《ふじわらのふひと》は、武智麻呂《むちまろ》*ら四人《にん》のむすこを朝廷《ちょうてい》の高《たか》い位《くらい》につけました。
藤原不比等《ふじわらのふひと》のやしき――
天皇家《てんのうけ》とのむすびつきをふかめ
藤原氏《ふじわらし》をもりたてるのだ…!
わかりました父上《ちちうえ》…
父上《ちちうえ》!
七二〇年《ねん》、藤原不《ふじわらのふ》比等《ひと》がなくなりました。

*藤原不比等《ふじわらのふひと》のむすこは、武智麻呂《むちまろ》、房前《ふささき》、宇合《うまかい》、麻呂《まろ》の四人《にん》です。

聖武《しょうむ》天皇《てんのう》の即位《そくい》

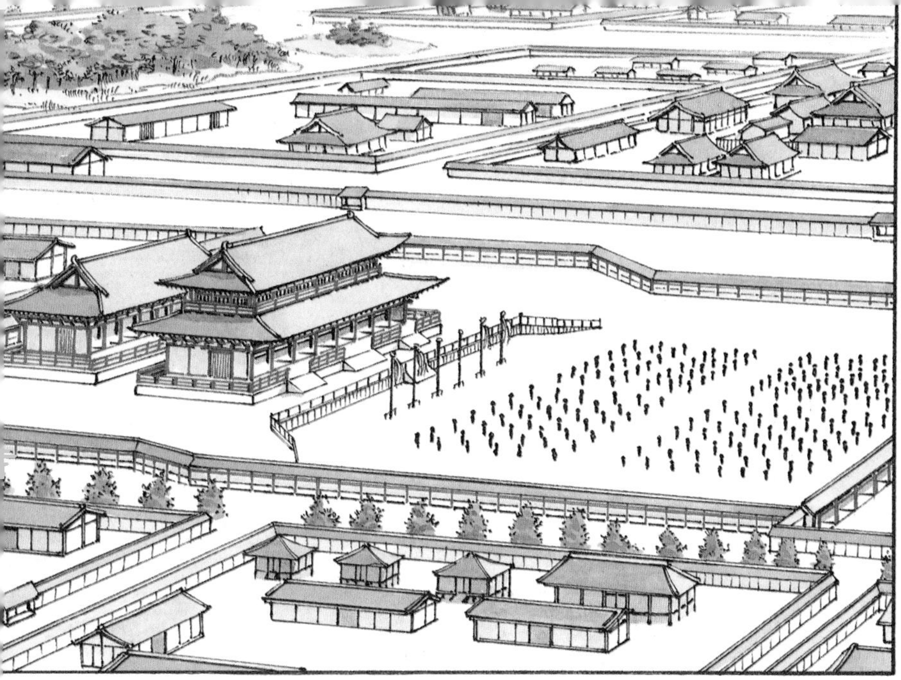

七二四年《ねん》、二三歳《さい》の首皇子《おびとおうじ》は元正天皇《げんしょうてんのう》から位《くらい》をゆずられ、聖《しょう》武《む》天皇《てんのう》となりました。

朝廷《ちょうてい》では、*長屋王《ながやおう》が左大臣《さだいじん》となって政治《せいじ》をおこないました。
わが朝廷《ちょうてい》は南《みなみ》は隼人《はやと》のすむ土地《とち》から北《きた》は蝦夷《えみし》まで広大《こうだい》な領域《りょういき》を支配《しはい》しております
支配地《しはいち》のすみずみまで朝廷《ちょうてい》の力《ちから》をしめすにはどうしたらいいだろう?
反乱《はんらん》する人《ひと》びとをしずめて
都《みやこ》と地方《ちほう》をむすぶ道《みち》をつくり
各地《かくち》に役人《やくにん》を置《お》き
朝廷《ちょうてい》の政治《せいじ》をいきわたらせることです
北陸道《ほくりくどう》
東山道《とうさんどう》
山陰道《さんいんどう》
山陽道《さんようどう》
東海道《とうかいどう》
南海道《なんかいどう》
西海道《さいかいどう》
畿内《きない》
大和《やまと》
河内《かわち》
山背《やましろ》
摂津《せっつ》
和泉《いずみ》
うーむ たいへんなことだなぁ

＊**長屋王《ながやおう》**は、天武天皇《てんむてんのう》の子《こ》である高市皇子《たけちおうじ》の嫡男《ちゃくなん》（正妻《せいさい》からうまれた長男《ちょうなん》）です。

ドカカカカ…
なに? 陸奥《むつ》(東北地方《とうほくちほう》)で蝦夷《えみし》が反乱《はんらん》をおこしただと!
はっ!
さっそく藤原宇合《ふじわらのうまかい》と大野東人《おおののあずまひと》を将軍《しょうぐん》としてつかわし
蝦夷《えみし》をうたせろ!
ははーっ!
七二四年《ねん》、朝廷《ちょうてい》は将《しょう》軍《ぐん》を派遣《はけん》して蝦夷《えみし》をうち、陸奥《むつ》をおさめるため、多賀城《たがじょう》(宮城《みやぎ》県《けん》)をきずきました。

多賀城《たがじょう》

朝廷《ちょうてい》は、服従《ふくじゅう》しない蝦夷《えみし》の抵抗《ていこう》をおさえるために陸奥《むつ》に多賀城《たがじょう》という城柵《じょうさく》をきずきました。ここは陸奥《むつ》の国府《こくふ》として政治《せいじ》をおこなう以外《いがい》に、蝦夷《えみし》をうつための将軍《しょうぐん》が派遣《はけん》され、軍事拠点《ぐんじきょてん》としての役割《やくわり》をもつ鎮守府《ちんじゅふ》が置《お》かれていました。発掘調査《はっくつちょうさ》によって、多賀城《たがじょう》の政庁《せいちょう》は国家《こっか》の威厳《いげん》をしめすため、豪華《ごうか》に建築《けんちく》され、主要《しゅよう》な建物《たてもの》は瓦《かわら》ぶきの堂《どう》どうとしたものだったことがわかっています。

多賀城正殿《たがじょうせいでん》の発掘《はっくつ》

長屋王《ながやおう》の変《へん》
七二七年《ねん》、朝鮮半島《ちょうせんはんとう》の北《きた》におこった渤海国《ぼっかいこく》が、日《に》本《ほん》と親《した》しくするため使者《ししゃ》をおくってきました。
渤海《ぼっかい》
日《に》本《ほん》海《かい》
新羅《しらぎ》
どうか日本《にほん》となかよくさせてください
わかりました
武智麻呂《むちまろ》どの！
藤原《ふじわらの》武智麻呂《むちまろ》
左大臣長屋王《さだいじんながやおう》はひそかに呪術《じゅじゅつ》をまなび国《くに》をほろぼそうとしています
な…なんと！
これはあきらかな謀反《むほん》！

なに？
長屋王《ながやおう》が…
信《しん》じられん
聖武天皇《しょうむてんのう》
長屋王《ながやおう》のやしき――
左大臣《さだいじん》
長屋王《ながやおう》どのを
謀反《むほん》のうたがいで
とり調《しら》べる！
門《もん》を
ひらけーい！
なぜ
わしが…？

長屋王邸《ながやおうてい》の発掘《はっくつ》

一九八八（昭和《しょうわ》六三）年《ねん》、奈良県《ならけん》奈良市《ならし》で、デパートの建設用地《けんせつようち》から四万点《まんてん》もの木簡《もっかん》が一度《いちど》に出土《しゅつど》しました。そのなかに「長屋親王《ながやしんのう》」と書《か》かれた木簡《もっかん》があったことから、そこは長屋王《ながやおう》の邸宅《ていたく》あとであることがわかりました。

長屋王《ながやおう》は、平城京《へいじょうきょう》の一等地《いっとうち》、三《さん》条二坊《じょうにぼう》にある東京《とうきょう》ドームの一・三倍《ばい》の広《ひろ》さの敷地《しきち》にすみ、邸宅《ていたく》には全国《ぜんこく》からコメやタイ、アワビなどがおくられていたことが木簡《もっかん》からわかりました。

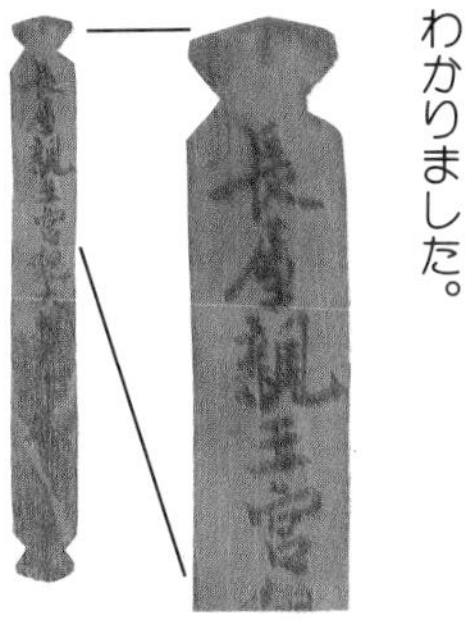
長屋王邸出土《ながやおうていしゅつど》の木簡《もっかん》

うーむ これは 藤原氏《ふじわらし》の はかりごと…
しかし こうなった からには…
七二九年《ねん》、長屋王《ながやおう》は、一族《いちぞく》とともに自殺《じさつ》しました。
長屋王《ながやおう》どのが なくなりました
そうか…
それにしても わるいこと ばかりつづく…
いっそのこと 仏《ほとけ》の道《みち》にでも はいって…
いけません!
わたしたち 藤原氏《ふじわらし》が 力《ちから》になります

長屋王《ながやおう》の事件《じけん》ののち、藤原不比等《ふじわらのふひと》のむすこの武智麻呂《むちまろ》ら四兄弟《きょうだい》は、それぞれ朝廷《ちょうてい》で高《たか》い位《くらい》につきました。
七三五年《ねん》、一八年《ねん》もの間《あいだ》、唐《とう》に留学《りゅうがく》していた吉備真備《きびのまきび》や僧《そう》の玄昉《げんぼう》が帰国《きこく》しました。
本《ほん》や楽器《がっき》弓《ゆみ》や仏像《ぶつぞう》をもってかえりました
ぜひおおさめください
おおっめずらしい物《もの》をたくさん
藤原武智麻呂《ふじわらのむちまろ》
唐《とう》でえた知識《ちしき》を日本《にほん》で役《やく》だててください
わかりました

伝染病《でんせんびょう》の流行《りゅうこう》
カア
カア
カア
カア
七三五年《ねん》、中国大陸《ちゅうごくたいりく》から九州《きゅうしゅう》につたわり、全国《ぜんこく》にひろがった＊伝染病《でんせんびょう》で、多《おお》くの人《ひと》びとが死《し》にました。
地獄《じごく》の使者《ししゃ》は都《みやこ》にせまっております
仏《ほとけ》の力《ちから》でおいはらうのだ!
はっ! 僧《そう》一〇〇〇人《にん》懸命《けんめい》にいのっております
お… おそろしいことだ…

*このときの伝染病《でんせんびょう》は、天然痘《てんねんとう》(痘瘡《とうそう》)だったと考《かんが》えられています。

七三七年《ねん》、藤原武智麻《ふじわらのむちま》呂《ろ》ら四人《にん》の兄弟《きょうだい》が、伝《でん》染病《せんびょう》にかかり、あいついでなくなりました。
な…なんという ことだ
もっと 懸命《けんめい》に いのるのだ!
はっ はい!

藤原広嗣の乱《ふじわらのひろつぐのらん》

＊橘諸兄《たちばなのもろえ》は藤原不比等《ふじわらのふひと》の妻《つま》、県犬養橘三千代《あがたのいぬかいのたちばなのみちよ》が、前《まえ》の夫《おっと》である美努王《みのおう》との間《あいだ》にうんだ子《こ》です。

盧舎那仏《るしゃなぶつ》は 国《くに》と人《ひと》びとの 平安《へいあん》をいのる 仏《ほとけ》さまです
なんと すばらしい お顔《かお》だろう…
国《くに》が平安《へいあん》に おさまるように いのりましょう

七四〇年《ねん》、大宰府《だざいふ》(福《ふく》岡県《おかけん》)にいる藤原広嗣《ふじわらのひろつぐ》から、朝廷《ちょうてい》に＊上表文《じょうひょうぶん》がとどきました。
な…なにっ！
吉備真備《きびのまきび》や僧《そう》の玄昉《げんぼう》を朝廷《ちょうてい》からのぞけだと？
うーむ これは反乱《はんらん》だ！
ただちに兵《へい》を集《あつ》めろ！
朝廷《ちょうてい》は大野東人《おおののあずまひと》を大将《だいしょう》軍《ぐん》にして、大宰府《だざいふ》に征《せい》討軍《とうぐん》をむかわせました。
平城京《へいじょうきょう》
大宰府《だざいふ》
大宰府《だざいふ》
なんと朝廷軍《ちょうていぐん》が…！
ええい！兵《へい》を集《あつ》めろ！

＊上表文《じょうひょうぶん》とは、天皇《てんのう》への意見《いけん》や事情《じじょう》などをしたためた文書《ぶんしょ》です。

*藤原広嗣《ふじわらのひろつぐ》は、船《ふね》で五島列島《ごとうれっとう》にのがれましたが、最後《さいご》はとらえられて殺《ころ》されました。

全国《ぜんこく》に建《た》つ国分寺《こくぶんじ》

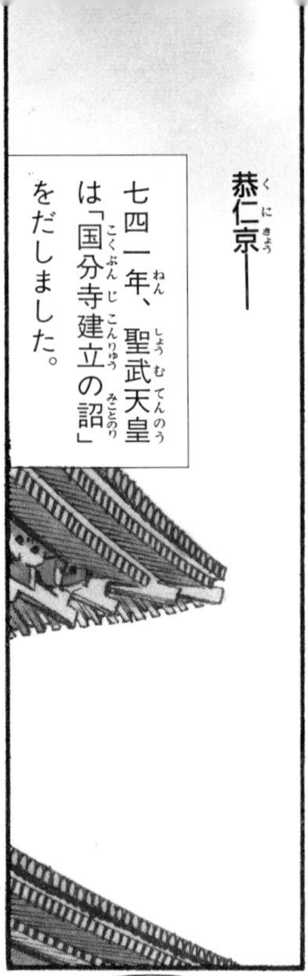
恭仁京《くにきょう》——
七四一年《ねん》、聖武天皇《しょうむてんのう》は「国分寺建立《こくぶんじこんりゅう》の詔《みことのり》」をだしました。

仏《ほとけ》の力《ちから》によって人《ひと》びとの不安《ふあん》をのぞき
あいつぐ天災《てんさい》から国《くに》をまもるため
国《くに》ごとに国分寺《こくぶんじ》と国分尼寺《こくぶんにじ》を建《た》てよう！

国分寺《こくぶんじ》には僧《そう》二〇人《にん》を国分尼寺《こくぶんにじ》には尼《あま》一〇人《にん》を置《お》く
国分寺《こくぶんじ》と国分尼寺《こくぶんにじ》
○ 国分寺《こくぶんじ》
● 国分尼寺《こくぶんにじ》

七四三年《ねん》、「大《だい》仏造立《ぶつぞうりゅう》の詔《みことのり》」がだされました。
仏法《ぶっぽう》をひろめることによって
天下《てんか》が安《やす》らかにおさまり
動物《どうぶつ》も植物《しょくぶつ》もすべてがさかえるよう
大仏《だいぶつ》をつくることにした
大仏《だいぶつ》は、近江《おうみ》（滋《し》賀県《がけん》）の紫香楽宮《しがらきのみや》につくられることになりました。
ザッ ザッ ザッ…
コーン
大仏《だいぶつ》づくりには、多《おお》くの人《ひと》びとがかりだされました。
しかし、たびかさなる都《みやこ》づくりで朝廷《ちょうてい》のお金《かね》は底《そこ》をつき、人《ひと》びとはつかれはてていました。
この世《よ》に仏《ほとけ》さまのいる浄土《じょうど》をつくりたい！

このころの世界《せかい》

8世紀《せいき》の世界《せかい》

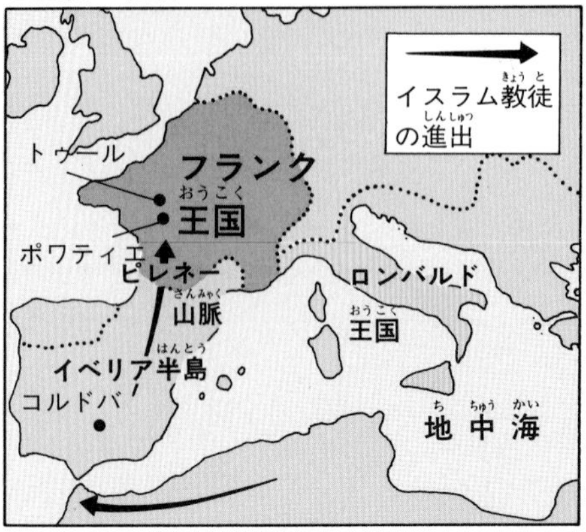
イスラム教徒《きょうと》の進出《しんしゅつ》
トゥール
フランク王国《おうこく》
ポワティエ
ピレネー山脈《さんみゃく》
ロンバルド王国《おうこく》
イベリア半島《はんとう》
コルドバ
地《ち》中《ちゅう》海《かい》

トゥール=ポワティエの戦《たたか》い　フランク王《おう》国《こく》の軍《ぐん》が、アラブ人《じん》の軍《ぐん》をやぶりました。

イベリア半島《はんとう》を征服《せいふく》したアラブ人《じん》ヨーロッパに軍《ぐん》を進《すす》める

七世紀《せいき》はじめに、アラビア半島《はんとう》でムハンマド（マホメット）によりひらかれた、イスラム教《きょう》を信《しん》じるアラブ人《じん》は、日本《にほん》で平城京《へいじょうきょう》に都《みやこ》がうつされたころ、北《きた》アフリカから、スペインやポルトガルのあるイベリア半島《はんとう》にせめこみました。イベリア半島《はんとう》を支配《しはい》していた、ゲルマン人《じん》の西《にし》ゴート王国《おうこく》を七一一年《ねん》にほろぼしたアラブ人《じん》は、イベリア半島《はんとう》を征服《せいふく》し、さらに北《きた》に進《すす》んでピレネー山脈《さんみゃく》をこえて、フランク王国《おうこく》にせめいりました。

フランク王国《おうこく》とキリスト教《きょう》をまもったカール=マルテル

このころ、フランスを支配《しはい》していたのは、キリスト教《きょう》を信仰《しんこう》するフランク王国《おうこく》でした。騎兵《きへい》を中心《ちゅうしん》とするアラブ人《じん》のイスラム教徒《きょうと》は、またたく間《ま》にフランスの中部《ちゅうぶ》に進撃《しんげき》しました。これにたいして、フランク王国《おうこく》の実力者《じつりょくしゃ》カール=マルテルは、軍隊《ぐんたい》をととのえてむかえうちました。

こうして七三二年《ねん》、イスラム教徒《きょうと》のアラブ人《じん》の軍《ぐん》と、キリスト教徒《きょうと》のフランク王国《おうこく》の軍《ぐん》が、トゥールとポワティエという町《まち》の間《あいだ》の平原《へいげん》で戦《たたか》いました。この戦《たたか》いは、フランク軍《ぐん》の勝利《しょうり》におわり、カール=マルテルはフランク王国《おうこく》とキリスト教《きょう》をまもりました。

しかし戦《たたか》いにやぶれたイスラム教《きょう》徒《と》は、その後《ご》もピレネー山脈《さんみゃく》から南《みなみ》のイベリア半島《はんとう》を長《なが》く支配《しはい》し、この地《ち》にイスラム文化《ぶんか》の花《はな》を咲《さ》かせました。いまもスペインには、多《おお》くのイスラム文化《ぶんか》がのこっています。

第2章

奈良《なら》の都《みやこ》のくらし

下級役人《かきゅうやくにん》の服《ふく》
奈良県東大寺《ならけんとうだいじ》

　奈良《なら》の平城京《へいじょうきょう》は、東西《とうざい》約《やく》四・三キロ、南北《なんぼく》約《やく》四・八キロの都《と》城《じょう》で、中央《ちゅうおう》に朱雀大路《すざくおおじ》がはしり、朱雀大路《すざくおおじ》の北《きた》のつきあたりには、天皇《てんのう》のすむ内裏《だいり》や政治《せいじ》のおこなわれる役所《やくしょ》の建物《たてもの》が置《お》かれていました。

　また、平城京《へいじょうきょう》には、貴族《きぞく》の大《おお》きなやしきや寺院《じいん》、役所《やくしょ》の倉《くら》や市《いち》などがあり、全国《ぜんこく》から税《ぜい》をはじめ、さまざまな産物《さんぶつ》がはこばれてきました。

　平城京《へいじょうきょう》には、天皇《てんのう》や貴族《きぞく》をはじめ、役人《やくにん》とその家族《かぞく》、商人《しょうにん》など、多《おお》くの人《ひと》がすんでいました。

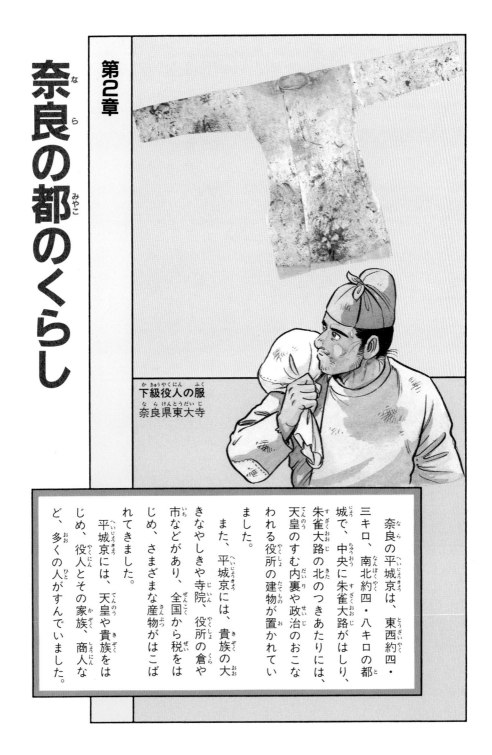

平城《へいじょう》京《きょう》をおとずれる使者《ししゃ》

おおっ 平城《へいじょう》の都《みやこ》が 見《み》えた
すっ すごく 大《おお》きいな
ああ… やっと 着《つ》いたか
毎年《まいとし》正月《しょうがつ》になると、平城《へいじょう》京《きょう》には、陸奥《むつ》・出羽《でわ》(東北《とうほく》地方《ちほう》)の蝦夷《えみし》をはじめ、南島《なんとう》や朝鮮半島《ちょうせんはんとう》の国《くに》からも使者《ししゃ》がやってきました。

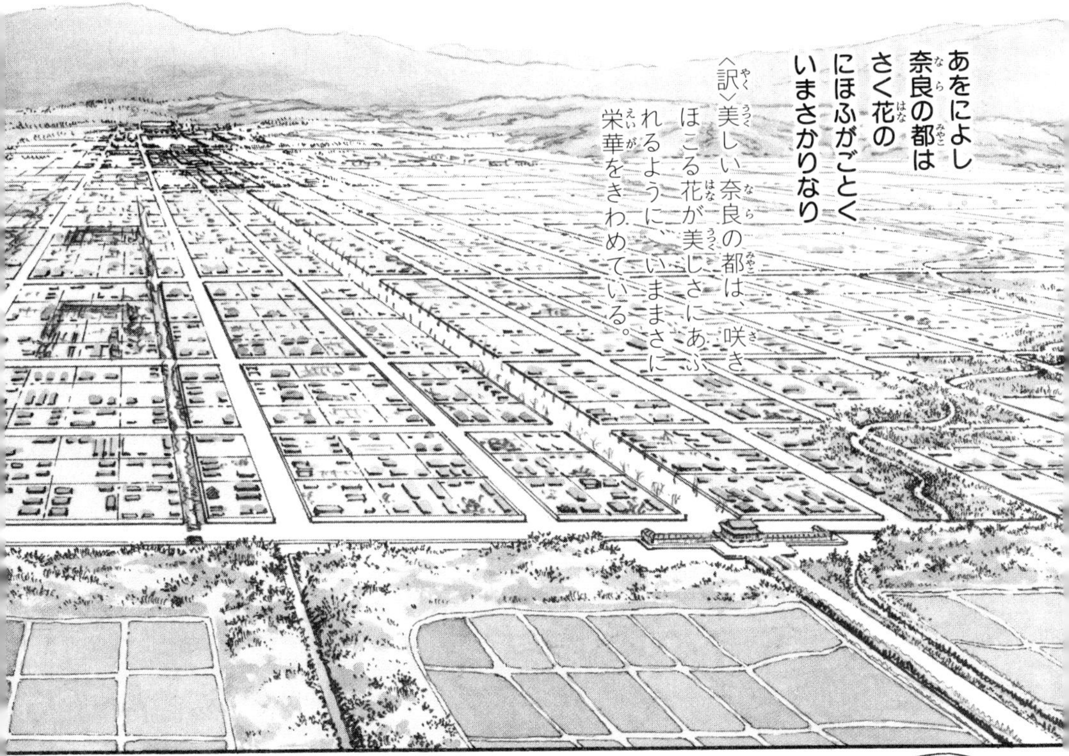
あをによし
奈良《なら》の都《みやこ》は
さく花《はな》の
にほふがごとく
いまさかりなり
〈訳《やく》〉美《うつく》しい奈良《なら》の都《みやこ》は、咲《さ》きほこる花《はな》が美《うつく》しさにあふれるように、いままさに栄華《えいが》をきわめている。

おおっ これが 羅城門《らじょうもん》!
大《おお》きい ですねぇ
うろたえる でない! われわれは 使節《しせつ》だぞ!

うわぁ 広《ひろ》いなぁ
この つきあたりが 大内裏《だいだいり》だな
しっ 静《しず》かに！

都《みやこ》は、朱雀大路《すざくおおじ》によって左京《さきょう》と右《う》京《きょう》にわけられ、さらに左京《さきょう》のそとには、つきだすように外京《げきょう》がありました。各京《かくきょう》は、それぞれ、東西《とうざい》南北《なんぼく》にはしる大路《おおじ》により、碁盤《ごばん》の目《め》のように、正方形《せいほうけい》の区画《くかく》（坊《ぼう》）に区切《くぎ》られていました。

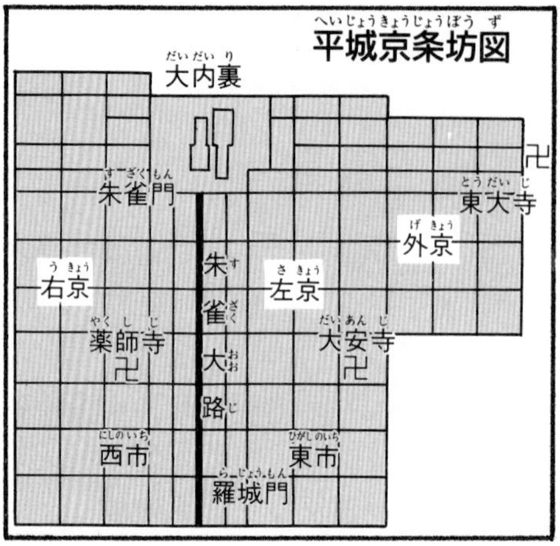
平城京条坊図《へいじょうきょうじょうぼうず》
大内裏《だいだいり》
朱雀門《すざくもん》
東大寺《とうだいじ》
外京《げきょう》
右京《うきょう》
朱《す》雀《ざく》大《おお》路《じ》
左京《さきょう》
薬師寺《やくしじ》
大安寺《だいあんじ》
西市《にしのいち》
東市《ひがしのいち》
羅城門《らじょうもん》

す すごい…
京《きょう》には大安寺《だいあんじ》（左京《さきょう》）、薬師寺《やくしじ》（右京《うきょう》）など大小《だいしょう》の寺院《じいん》があり、東大寺《とうだいじ》は、外京《げきょう》の東《ひがし》に接《せっ》して京《きょう》のそとにありました。

また左京《さきょう》と右京《うきょう》には、人《ひと》びとの生活《せいかつ》に必要《ひつよう》なものを売《う》る東西《とうざい》の市《いち》がありました。
このころ平城京《へいじょうきょう》には、天皇《てんのう》や貴族《きぞく》をはじめ役人《やくにん》や商人《しょうにん》、都《みやこ》をおとずれた人《ひと》など、一〇万人《まんにん》あまりの人《ひと》がくらしていました。
キョロ
キョロ
朱雀門《すざくもん》——

今年《ことし》はよい年《とし》でありますよう朝廷《ちょうてい》より神《かみ》や仏《ほとけ》においのりいたします
ははーっ!

東北地方《とうほくちほう》の蝦夷《えみし》や九州《きゅうしゅう》の隼人《はやと》たちは、異民族《いみんぞく》として朝廷《ちょうてい》の儀式《ぎしき》に参加《さんか》しました。
おおっ！

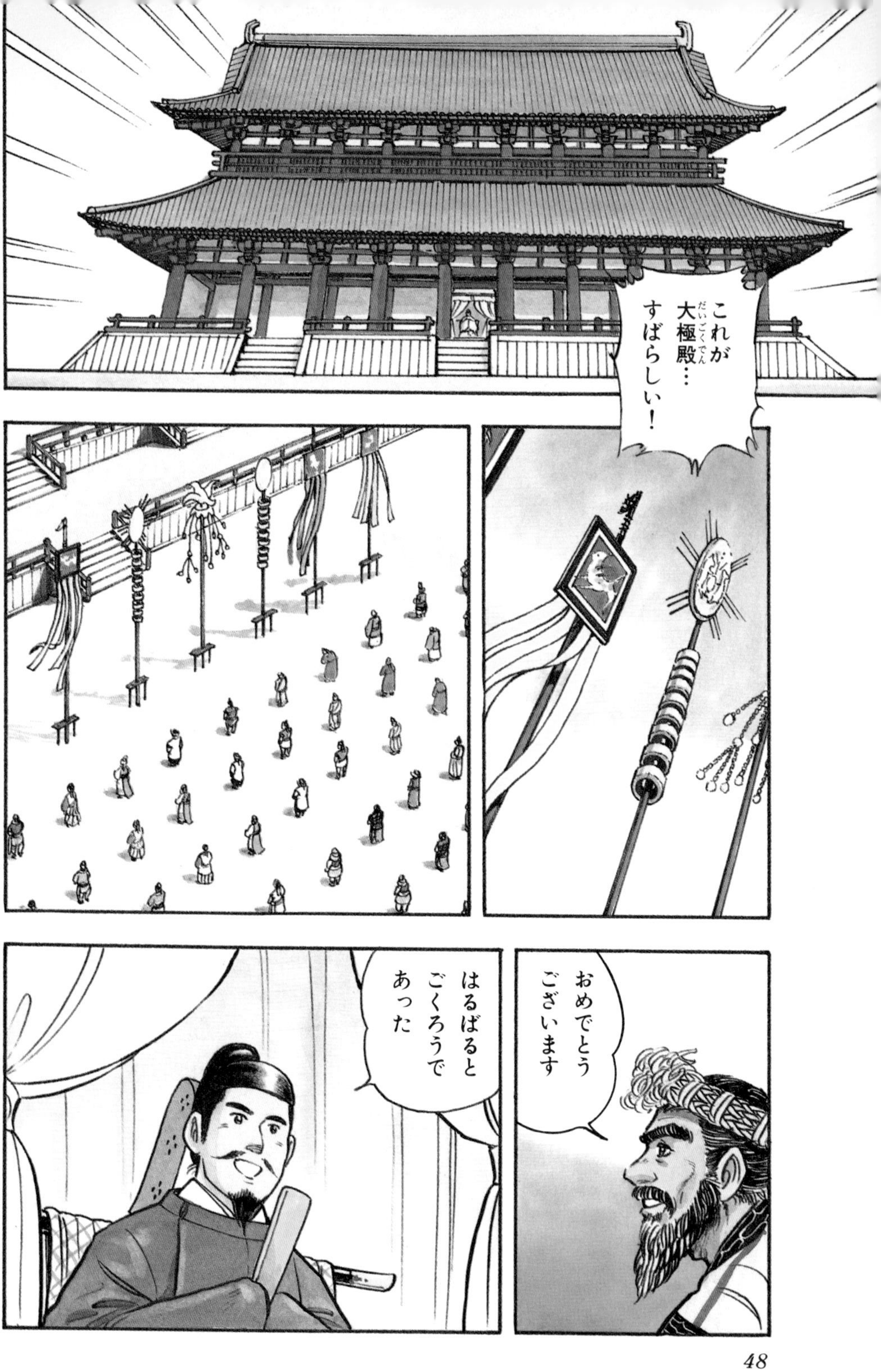

これが
大極殿《だいごくでん》…
すばらしい!
おめでとうございます
はるばるとごくろうであった

数日後《すうじつご》――
都見物《みやこけんぶつ》でもするか…
貴族《きぞく》のやしき――
でかいやしきだなぁ
薬師寺《やくしじ》――
うわあいろんな物《もの》があるなぁ
いらっしゃいませ
東《ひがし》の市《いち》――
ガラ ガラ

それにしても
たくさんの人《ひと》が
いるね
都《みやこ》にすむ
役人《やくにん》や貴族《きぞく》
それにくわえて
地方《ちほう》からきた
行商人《ぎょうしょうにん》や兵士《へいし》も
いるからなぁ
たくさんの
荷物《にもつ》が
はこばれて
くるね
これらは
地方《ちほう》から
おくられてきた布《ぬの》や
食料品《しょくりょうひん》など
特産物《とくさんぶつ》だよ
ふーっ
やっと着《つ》いた

木簡《もっかん》からわかること

紙《かみ》の少《すく》なかった古代《こだい》、役所《やくしょ》の文《ぶん》書《しょ》や帳簿《ちょうぼ》のほか、荷物《にもつ》につけられた荷札《にふだ》などは、木簡《もっかん》とよばれる木《き》の札《ふだ》に文字《もじ》を書《か》きました。

木《き》の札《ふだ》にすみで書《か》かれた木簡《もっかん》は、藤原京《ふじわらきょう》や平城京跡《へいじょうきょうあと》から多数出土《たすうしゅつど》し、当時《とうじ》のすがたを明《あき》らかにしてくれます。

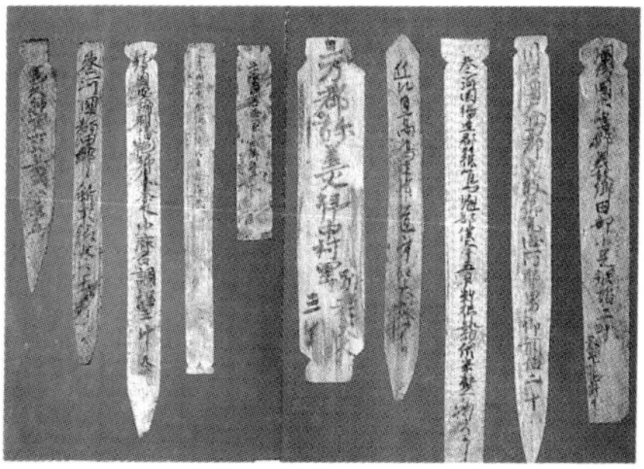

荷物《にもつ》につけられた荷札《にふだ》の木簡《もっかん》

このころ朝廷《ちょうてい》や政府《せいふ》の財政《ざいせい》は、全国《ぜんこく》から集《あつ》められた、農民《のうみん》たちの税《ぜい》によってまかなわれていました。
ふーう やっと着《つ》いた…
また貴族《きぞく》たちのもとにも、地方《ちほう》からたくさんの特産物《とくさんぶつ》がとどきました。
若狭《わかさ》(福井県《ふくいけん》)からの荷物《にもつ》です
おうっ うらへまわれ!
へい!
イワシ(鰯《いわし》) イガイ(貽貝《いがい》) タイズシ(鯛鮨《たいずし》) 塩《しお》でございます
おおっ ごくろうであった!
大量《たいりょう》の産物《さんぶつ》や人《ひと》をはこぶため、平城京《へいじょうきょう》を中心《ちゅうしん》に地方《ちほう》につうじる七つの官道《かんどう》(七道《しちどう》)が整備《せいび》されていました。
七道《しちどう》
東山道《とうさんどう》
北陸道《ほくりくどう》
山陽道《さんようどう》
山陰道《さんいんどう》
東海道《とうかいどう》
南海道《なんかいどう》
畿内《きない》
西海道《さいかいどう》
＊771年《ねん》以降《いこう》,『延喜式《えんぎしき》』による。

下級役人《かきゅうやくにん》の一日《いちにち》
東大寺境内《とうだいじけいだい》の写経所《しゃきょうじょ》――
仏《ほとけ》さまのありがたいお経《きょう》だ
ていねいに写《うつ》しとるのだ
はい！
おい＊大人《うし》！お客《きゃく》さんだ！
はい

＊「大人《うし》」とは、下級役人《かきゅうやくにん》の名《な》まえです。

子《こ》どもが病気《びょうき》で熱《ねつ》があります三《さん》～四日《よっか》休《やす》みたいのですが…
それはいいが給料《きゅうりょう》はへるぞ
…はいかまいません！
では失礼《しつれい》いたします
タッ
タッ
タッ
タ
タ
タ
タ
どっどうだ？熱《ねつ》のほうは！
あ…あんたそれがわるくなるばかりで
*薬師《くすし》をたのんで*瘡《そう》をあらってもらい人形《ひとがた》や土馬《どば》に病気《びょうき》をうつそう！

＊薬師《くすし》とは、医者《いしゃ》のことで、＊瘡《そう》とは、からだにできる「はれもの」や「できもの」のことです。

病気《びょうき》よ
うつれ
うつれ
これで
人形《ひとがた》とともに
病気《びょうき》の神《かみ》は
とれたぞーっ
わーい

庶民《しょみん》のくらし

平城京《へいじょうきょう》には多《おお》くの役所《やくしょ》があり、ここに勤務《きんむ》する中《ちゅう》・下級役人《かきゅうやくにん》は約《やく》七〇〇〇人《にん》だったといわれています。豪華《ごうか》なくらしをしていた貴族《きぞく》たちとはちがって、かれらは家族《かぞく》をやしなうために一日《にち》十数時間《すうじかん》、休日《きゅうじつ》もほとんどとらずにはたらいていたようです。かれらのすまいは勤務地《きんむち》からも遠《とお》く、あまり広《ひろ》いとはいえないつくりでした。はたらきバチでウサギ小屋《ごや》にすんでいるといわれるわれわれ日本人《にほんじん》のご先祖《せんぞ》も、やはりはたらき者《もの》でした。

硯《すずり》
刀子《とうす》
（小刀《こがたな》）
木簡《もっかん》
筆《ふで》と墨《すみ》
役人《やくにん》の使《つか》った文房具《ぶんぼうぐ》

はあ
はあ
はあ
なかなか しつこいものが とりついている ようだなぁ
たすかると いいけど…
それでは いってくる しばらく かえれないかも しれないが…
いって らっしゃい…

*下級役人《かきゅうやくにん》である写経師《しゃきょうし》たちは、六〇〜九〇日間《にちかん》、とまりがけで仕事《しごと》をしました。

まずしい給食《きゅうしょく》だな
こんなんじゃまともに仕事《しごと》できないよ…

ジ〜〜ン
ちょいと*厠《かわや》へ
おれもいくかな
モミモミ

*厠《かわや》とは便所《べんじょ》（トイレ）のことです。

このころの食事《しょくじ》

食事《しょくじ》は一日《にち》二食《しょく》で、貴族《きぞく》はおコメを食《た》べましたが、一般《いっぱん》の人《ひと》はアワやヒエ、ムギやソバなども食《た》べました。おかずは、野菜《やさい》、ワカメなどの海草《かいそう》、魚《さかな》や貝《かい》、とり肉《にく》などを塩《しお》やしょう油《ゆ》で味《あじ》つけをしたものでした。そのほか牛乳《ぎゅうにゅう》やチーズなども食《た》べました。

下級役人《かきゅうやくにん》の食事《しょくじ》

クイッ
ポイッ
あーっ さっぱり した
それにしても おまえの 着《き》ている物《もの》は きたないなぁ
もう六〇日《にち》も あらっていませんからね
一日休《にちやす》みを やるから せんたくしろ
でも給料《きゅうりょう》 ひかれるん でしょう？
あたりまえ じゃ！
どうだ 子《こ》どもは？
翌日《よくじつ》——
おい大人《うし》！ 子《こ》どもは今朝《けさ》 なくなった そうだ
えっ？
それが わるくなる ばかりで…
そうか…
一四日《じゅうよっか》の 休《やす》みをやる 葬式《そうしき》を だしてやれ
…ありがとう ございます

とぼ とぼ
給料《きゅうりょう》でもらった銭《ぜに》でコメを買《か》っていこう
ガヤガヤ
ワイワイ
銭《ぜに》でコメをくれないか？
なるべく布《ぬの》にしてくださいよ
な…なんだ銭《ぜに》は使《つか》えないのか？
いや…使《つか》えることは使《つか》えますが
あまりピンとこないもので…
そうだな
まいど

わしが毎日《まいにち》書《か》きうつしているのは…
仏《ほとけ》さまのありがたいおしえだというが
あははは…
そんなにありがたいものなら
どうしてくらしがらくにならないのだろう…
ひい〜!?
わしにはどこがありがたいのか
ちっともわからん
バシッ バシッ
ひい〜っ
ああ…

このころの世界《せかい》

8世紀《せいき》の世界《せかい》

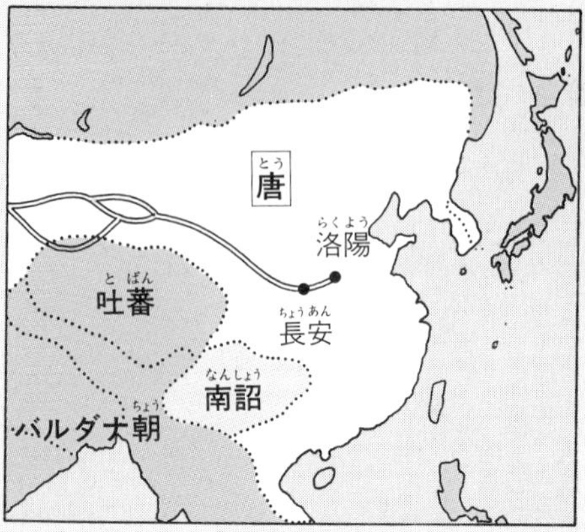

大秦景教流行中国碑《だいしんけいきょうりゅうこうちゅうごくひ》　景教《けいきょう》(ネストリウス派《は》)の碑文《ひぶん》。長安大秦寺《ちょうあんだいしんじ》。

唐《とう》の都《みやこ》・長安《ちょうあん》に集《あつ》まる外国人《がいこくじん》
大都市《だいとし》のかげで泣《な》く農民《のうみん》

　七一七年《ねん》に、一七歳《さい》の阿倍仲麻呂《あべのなかまろ》は、遣唐使《けんとうし》の一員《いちいん》として唐《とう》にわたりました。そして都《みやこ》の長安《ちょうあん》で大学《だいがく》にはいり、やがて科挙《かきょ》とよばれる役人《やくにん》を選《えら》ぶ試験《しけん》にみごとに合格《ごうかく》して、唐《とう》の朝廷《ちょうてい》につかえました。

　阿倍仲麻呂《あべのなかまろ》のように、唐《とう》の都《みやこ》の長安《ちょうあん》には、周辺《しゅうへん》の国《くに》ぐにから使節《しせつ》や留学生《りゅうがくせい》が数多《かずおお》くおとずれました。また、シルクロードをとおって、中央《ちゅうおう》アジアやイランの人《ひと》びとも行《ゆ》き来《き》しました。

　この西方《せいほう》の人《ひと》びとは、ラクダの背《せ》に、絹《きぬ》をはじめ中国《ちゅうごく》の品《しな》じなを積《つ》んで、西《にし》アジアにはこびました。またかれらはペルシアで信仰《しんこう》されていたゾロアスター教《きょう》やネストリウス派《は》のキリスト教《きょう》などの宗教《しゅうきょう》を、中国《ちゅうごく》につたえました。さらに西方《せいほう》の商人《しょうにん》は、じゅうたんやガラスの器《うつわ》をはじめ、楽器《がっき》なども唐《とう》にもたらしました。

　このころの長安《ちょうあん》は人口《じんこう》が一〇〇万《まん》人《にん》をこす大都市《だいとし》でしたが、そのかげで民衆《みんしゅう》の生活《せいかつ》はたいへんくるしいものでした。唐《とう》の代表的《だいひょうてき》な詩人《しじん》杜甫《とほ》は、「兵車行《へいしゃこう》」という詩《し》で、農民《のうみん》とのこされた家族《かぞく》の悲《かな》しみをうたいました。

　がらがらという戦車《せんしゃ》の車輪《しゃりん》の音《おと》、
兵馬《へいば》のひんひんと泣《な》く声《こえ》。
　戦《たたか》いにゆく者《もの》は、ひとりひとりが
弓《ゆみ》と矢《や》を腰《こし》におびている。
　父《ちち》も母《はは》も妻《つま》も子《こ》も、足早《あしばや》に兵士《へいし》を
見《み》おくっている。
　衣《ころも》をひっぱり、足《あし》ずりして、かれ
らのゆく道《みち》をさえぎって泣《な》く。
　泣《な》き声《ごえ》は、そのまま大空《おおぞら》にとどく。

第3章 行基《ぎょうき》と奈良《なら》の大仏《だいぶつ》

奈良《なら》の大仏《だいぶつ》
奈良県東大寺《ならけんとうだいじ》

奈良時代《ならじだい》、貴族《きぞく》たちは権力《けんりょく》をめぐって争《あらそ》い、政治《せいじ》は乱《みだ》れました。また、伝染病《でんせんびょう》が全国《ぜんこく》で流行《りゅうこう》してたくさんの人《ひと》がなくなりました。聖武天皇《しょうむてんのう》は、仏《ほとけ》の力《ちから》によって争《あらそ》いや天災《てんさい》をなくそうと考《かんが》え、国《くに》ごとに国分寺《こくぶんじ》と国分尼寺《こくぶんにじ》を置《お》きましたが、さらに東大寺《とうだいじ》を建《た》てて大仏《だいぶつ》をつくることにしました。

僧《そう》の行基《ぎょうき》は、朝廷《ちょうてい》からもとめられて、大仏《だいぶつ》づくりに協力《きょうりょく》しました。しかし、大仏《だいぶつ》づくりは、たいへんな大事業《だいじぎょう》で、一〇年《ねん》あまりかかって、完成《かんせい》しました。

行基《ぎょうき》と都《みやこ》づくりの人《ひと》びと

人《ひと》はうまれては死《し》に…死《し》んではまたうまれかわるものだ
平城京《へいじょうきょう》に、僧《そう》の行基《ぎょうき》を中心《ちゅうしん》とした、異様《いよう》な集《しゅう》団《だん》があらわれました。

おおっ 指《ゆび》がもえている！
おれはうまれる前《まえ》はなんだったんだ？
おれが死《し》んだらなににうまれかわるんだ？
あなたは人《ひと》としてうまれる前《まえ》田《た》や畑《はたけ》ではたらく牛《うし》であった！
お…おれが牛《うし》？
仏《ほとけ》さまはそんな人間《にんげん》をあわれんで救《すく》いの手《て》をさしのべている！

どうしたらいいんです？
現世《げんせ》でよいおこないをすれば…来世《らいせ》で人《ひと》にうまれかわれる
どうかお救《すく》いください
よしっわたしについてきなさい
このころ奈良《なら》の都《みやこ》では、都《みやこ》づくりにかりだされた農民《のうみん》や、地方《ちほう》から税《ぜい》をはこんできてかえれなくなった人《ひと》がたくさんすんでいました。
かえりたいがお金《かね》も食《た》べ物《もの》もない…
ああー妻《つま》や子《こ》はどうしてるだろう…
あのまずしい人《ひと》たちに食《た》べ物《もの》や着《き》る物《もの》をあたえなさい
あ…ありがとうございます

さあ みなの衆《しゅう》 仏《ほとけ》さまの ほどこしじゃ
おおっ ありがたい…
ああー 行《ぎょう》基《き》菩《ぼ》薩《さつ》さま
ぞろ ぞろ
洪水《こうずい》でやられたんだな…
ここに大《おお》きな池《いけ》をつくろう!
池《いけ》があれば洪水《こうずい》もなくなるしひでりのときは用水《ようすい》ともなる!
おおっ!! みんなではたらこう!

行基《ぎょうき》は人《ひと》びとをみちびいて橋《はし》や道《みち》、池《いけ》や溝《みぞ》をつくりました。
行基菩薩《ぎょうきぼさつ》さまどうかこれをお役《やく》だてください！
これはこれは…
池《いけ》や溝《みぞ》をつくり新《あたら》しく田《た》をひらきましょう
それは願《ねが》ってもないこと…
やがて仏《ほとけ》の力《ちから》でみんながしあわせになる！
朝廷《ちょうてい》は行基《ぎょうき》にたいして、人《ひと》びとによからぬことをふきこんだとして、弾圧《だんあつ》しました。
こらあーなにしている！
うわーっ
めげるでない！
われらには仏《ほとけ》さまがついている！

大仏《だいぶつ》づくり
七四三年《ねん》、聖武天皇《しょうむてんのう》が、近江《おうみ》(滋賀県《しがけん》)の紫香楽宮《しがらきのみや》で大仏《だいぶつ》をつくりはじめましたが…
ああー山《やま》がもえている…
ゴゴゴゴゴゴ
また地震《じしん》だ…
よくないことばかりおこる…
きっと仏《ほとけ》さまのたたりじゃ
なんということじゃ…
都《みやこ》を奈良《なら》にもどしましょう
七四五年《ねん》、聖武天皇《しょうむてんのう》は五年《ねん》ぶりに奈良《なら》の平城京《へいじょうきょう》に都《みやこ》をもどし、ここで大仏《だいぶつ》をつくることにしました。

行基《ぎょうき》どの ミカドは大仏《だいぶつ》を つくりたいと いわれている
どうか 手《て》をかして もらいたい
わたしは 仏《ほとけ》の奴隷《どれい》となって 大仏《だいぶつ》づくりに かけたいのだ！
天皇《てんのう》の考《かんが》えた大仏造営《だいぶつぞうえい》は、天皇《てんのう》や貴族《きぞく》、地方豪族《ちほうごうぞく》から一般《いっぱん》の人《ひと》まで、すべての人《ひと》びとが力《ちから》をあわせるというものでした。
わかりました！ 協力《きょうりょく》いたしましょう！
こうして行基《ぎょうき》は、全国《ぜんこく》をめぐって大仏《だいぶつ》づくりに必要《ひつよう》なお金《かね》を集《あつ》めて大僧正《だいそうじょう》となりました。

ぞろ ぞろ
ガタ ゴト
大仏《だいぶつ》をつくるにはたくさんの材料《ざいりょう》と人手《ひとで》がいる…
材料《ざいりょう》の銅《どう》やすずがたりない！

世界最大《せかいさいだい》の金銅仏《こんどうぶつ》

聖武天皇《しょうむてんのう》は、なぜ高《たか》さ一六メートル、重《おも》さ三八〇トンにもおよぶ大仏《だいぶつ》をつくったのでしょう。当時《とうじ》中国《ちゅうごく》にあった敦煌石窟《とんこうせっくつ》の高《たか》さ三三メートルの大仏《だいぶつ》、雲崗石窟《うんこうせっくつ》の高《たか》さ一三メートルの大仏《だいぶつ》を知《し》っていた、唐《とう》の留学僧《りゅうがくそう》道慈《どうじ》や玄昉《げんぼう》のすすめによるものと考《かん》えられます。これらの大仏《だいぶつ》は石《いし》の断崖《だんがい》に彫《ほ》られたものですが、奈良《なら》の大仏《だいぶつ》は金銅仏《こんどうぶつ》です。金銅仏《こんどうぶつ》としては世界最大《せかいさいだい》です。

雲崗石窟《うんこうせっくつ》の大仏《だいぶつ》

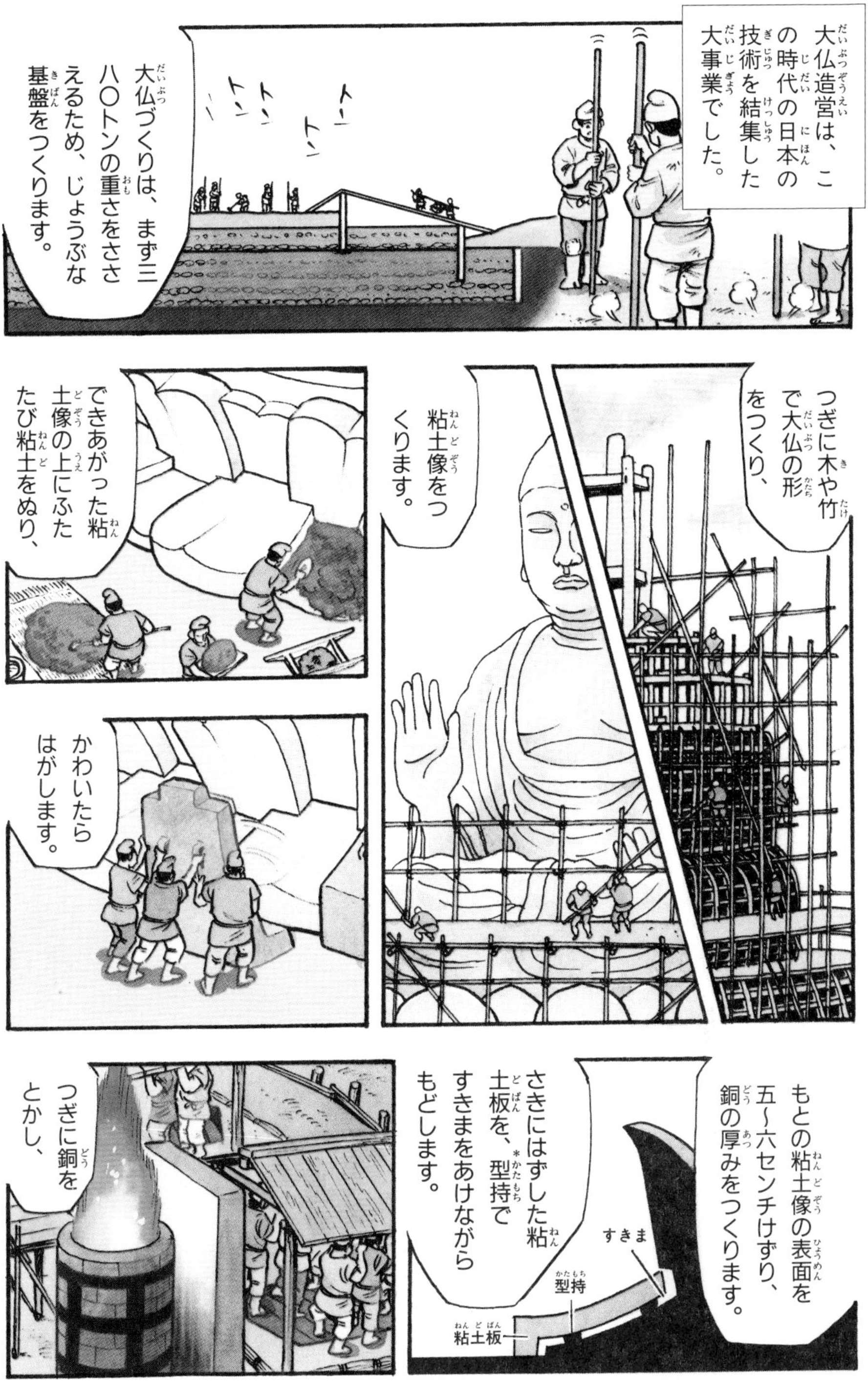
大仏造営《だいぶつぞうえい》は、この時代《じだい》の日本《にほん》の技術《ぎじゅつ》を結集《けっしゅう》した大事業《だいじぎょう》でした。
大仏《だいぶつ》づくりは、まず三八〇トンの重《おも》さをささえるため、じょうぶな基盤《きばん》をつくります。
つぎに木《き》や竹《たけ》で大仏《だいぶつ》の形《かたち》をつくり、
粘土像《ねんどぞう》をつくります。
できあがった粘《ねん》土像《どぞう》の上《うえ》にふたたび粘土《ねんど》をぬり、
かわいたらはがします。
もとの粘土像《ねんどぞう》の表面《ひょうめん》を五～六センチけずり、銅《どう》の厚《あつ》みをつくります。
さきにはずした粘《ねん》土板《どばん》を、*型持《かたもち》ですきまをあけながらもどします。
すきま
型持《かたもち》
粘土板《ねんどばん》
つぎに銅《どう》をとかし、

＊型持《かたもち》は、粘土板《ねんどばん》と粘土像《ねんどぞう》のすきまをあけるために使《つか》うもの。このときは銅《どう》の小《ちい》さいかけらを使《つか》いました。

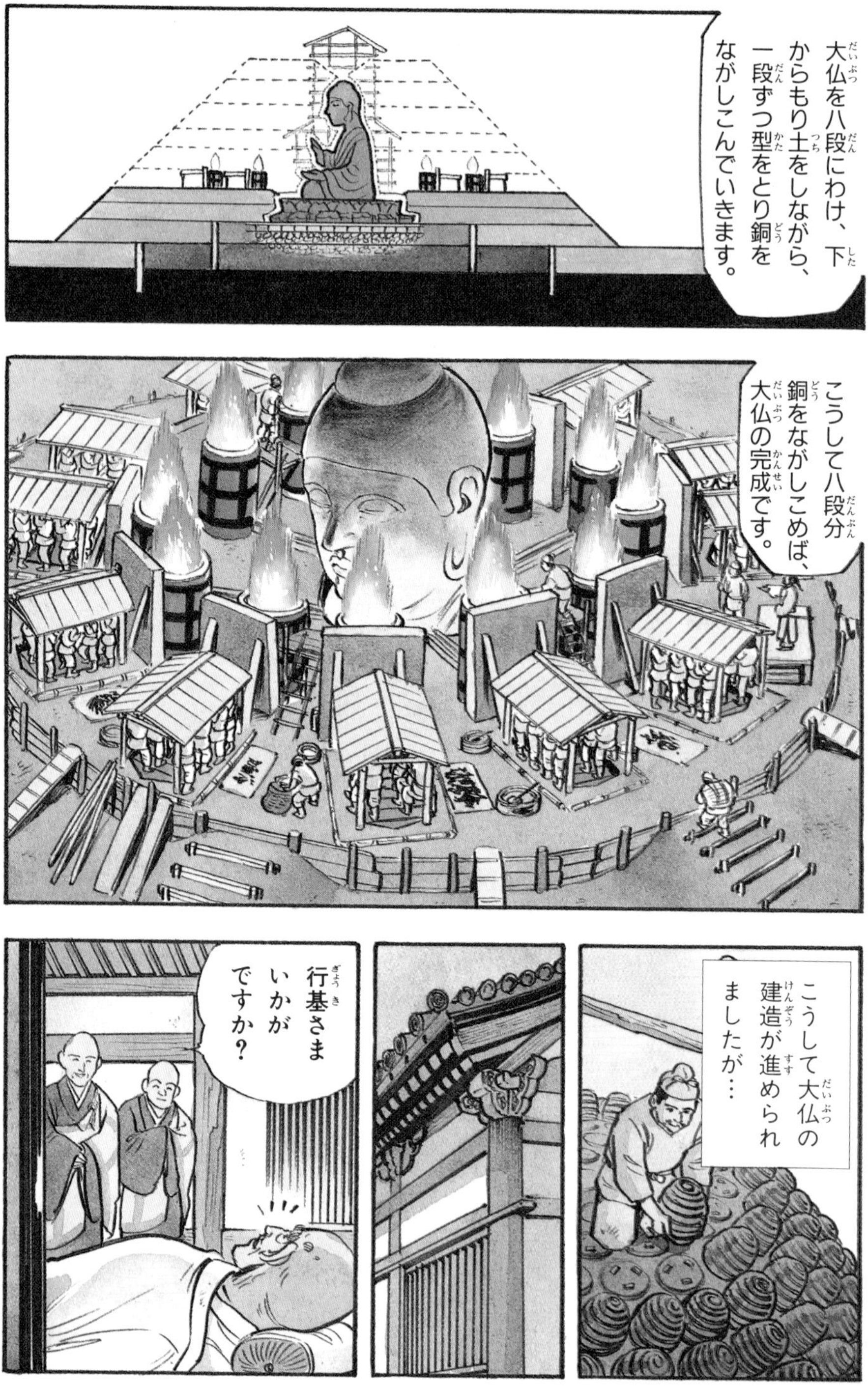
大仏《だいぶつ》を八段《だん》にわけ、下《した》からもり土《つち》をしながら、一段《だん》ずつ型《かた》をとり銅《どう》をながしこんでいきます。
こうして八段分《だんぶん》銅《どう》をながしこめば、大仏《だいぶつ》の完成《かんせい》です。
こうして大仏《だいぶつ》の建造《けんぞう》が進《すす》められましたが…
行基《ぎょうき》さまいかがですか？

どうですか うまくいって いますか？
はい 大仏《だいぶつ》の 完成《かんせい》はもう しばらく…
いや大仏《だいぶつ》の ことではなく 世《よ》の中《なか》の ことです！
はいっ 大仏《だいぶつ》をつくるため たくさんの銅《どう》と 人手《ひとで》がいります
世《よ》の中《なか》は うまくいって ないようです…
そうですか… 大仏《だいぶつ》のために 人《ひと》びとのくらしは もっときびしく なったと…
七四九年《ねん》、行基《ぎょうき》は大仏《だいぶつ》の完成《かんせい》を見《み》ないまま、八二歳《さい》で世《よ》をさりました。
その後工事《ごこうじ》は、銅《どう》やすずがたりないため、進《すす》みませんでした。
陸奥《むつ》（東北地方《とうほくちほう》）より黄金《おうごん》が献上《けんじょう》されました
おお なんと すばらしい！
これで 大仏《だいぶつ》が できます
仏《ほとけ》さまに 感謝《かんしゃ》して 年号《ねんごう》を 「天平感宝《てんぴょうかんぽう》」と あらためよう

大仏《だいぶつ》の開眼供養《かいげんくよう》

七四九年《ねん》、聖武天皇《しょうむてんのう》はむすめの阿倍内親王《あべのないしんのう》を孝謙天皇《こうけんてんのう》として、みずから太上天皇《だいじょうてんのう》となりました。
聖武太上天皇《しょうむだいじょうてんのう》
孝謙天皇《こうけんてんのう》
これで大仏《だいぶつ》の完成《かんせい》をまちながら静《しず》かに余生《よせい》をおくれる
光明皇太后《こうみょうこうたいごう》

ごほ ごほ
太上天皇《だいじょうてんのう》
良弁《ろうべん》よ 大仏《だいぶつ》はいったいいつになったら完成《かんせい》するのだ?
まだ数年《すうねん》はかかるかと…
わたしはつかれきっておきるのもたつのもくるしい
行基《ぎょうき》のように大仏《だいぶつ》の完成《かんせい》を見《み》ないで死《し》ぬのはどうも…
わかりました それでは開眼《かいげん》の供養《くよう》をいたしましょう
開眼《かいげん》の供養《くよう》…? それはどういうものだ?

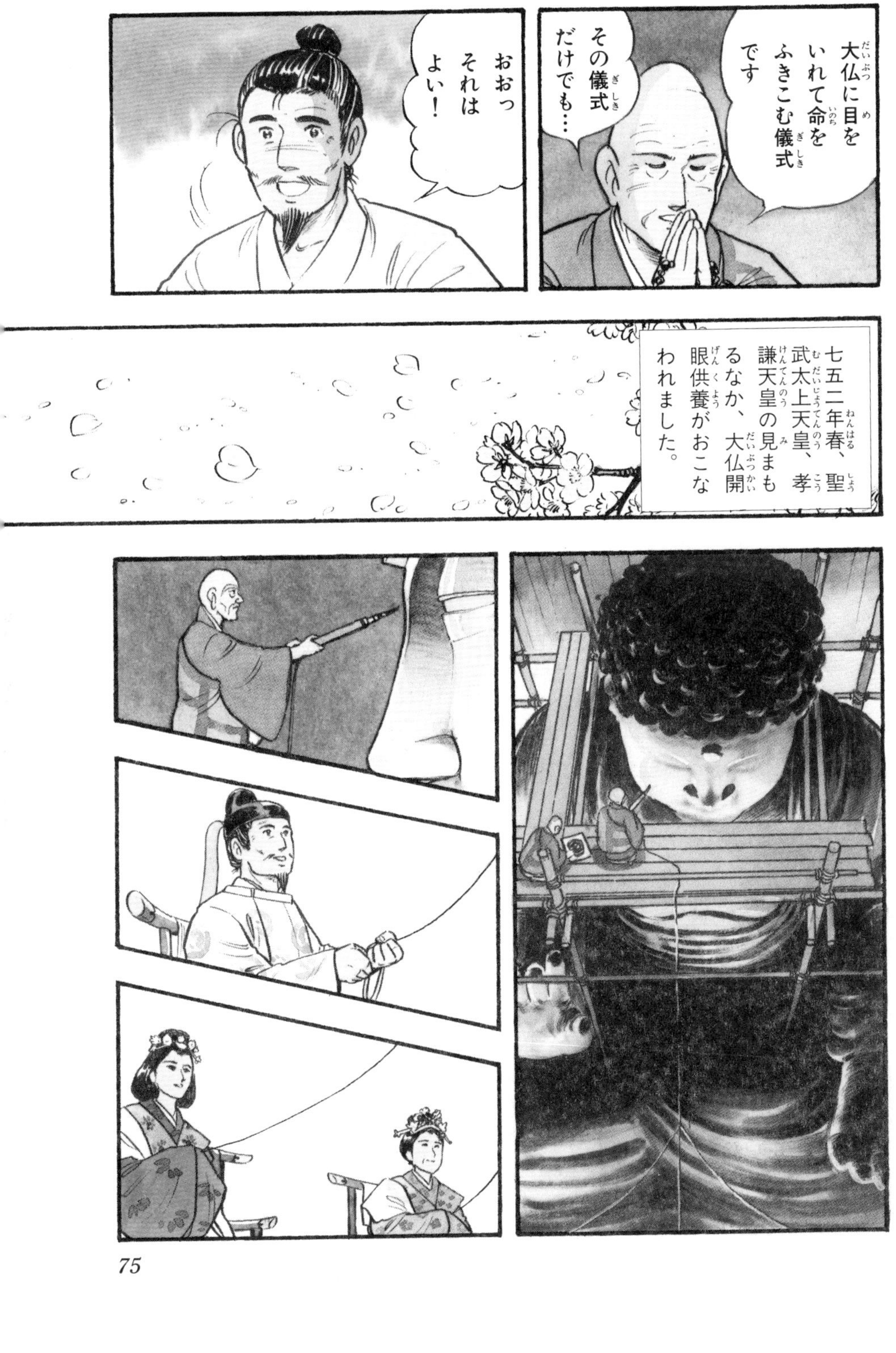

大仏《だいぶつ》に目《め》をいれて命《いのち》をふきこむ儀式《ぎしき》です
その儀式《ぎしき》だけでも…
おおっそれはよい！
七五二年春《ねんはる》、聖《しょう》武《む》太上天皇《だいじょうてんのう》、孝《こう》謙天皇《けんてんのう》の見《み》まもるなか、大仏開《だいぶつかい》眼供養《げんくよう》がおこなわれました。

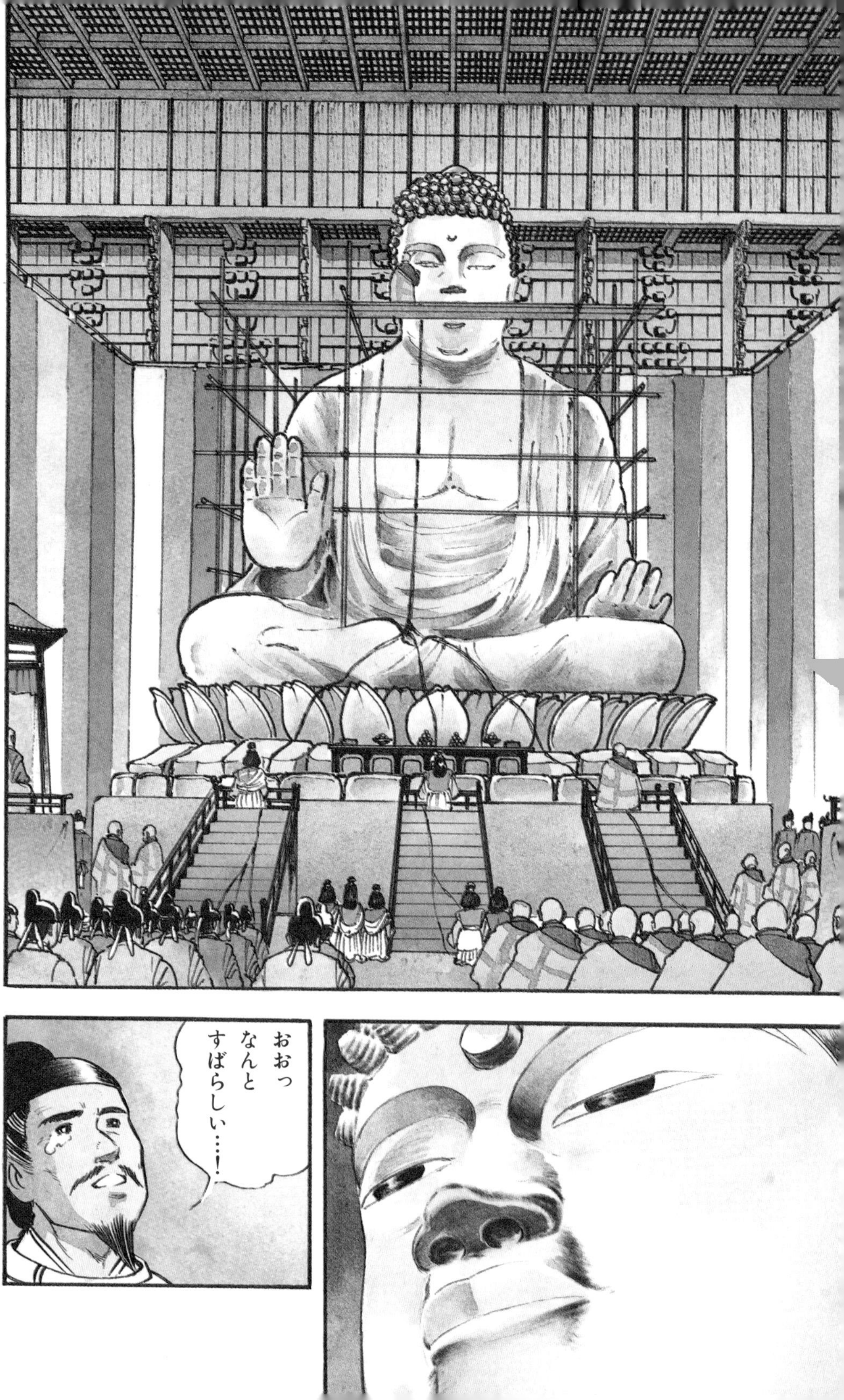
おおっ なんと すばらしい…!

大仏《だいぶつ》と東大寺大仏殿《とうだいじだいぶつでん》は、のべ二六〇万人《まんにん》の人《ひと》びとが、一三年《ねん》の歳月《さいげつ》をかけて完成《かんせい》しました。
七五六年《ねん》、聖武太上天皇《しょうむだいじょうてんのう》は五六歳《さい》でなくなりました。
この時代《じだい》、たびかさなる都《みやこ》づくりと、大《だい》仏造営《ぶつぞうえい》にかけた人《ひと》びとの労力《ろうりょく》は、たいへんなものでした。
こののち朝廷《ちょうてい》は、財政《ざいせい》にくるしむことになりました。

このころの世界《せかい》

8世紀《せいき》の世界《せかい》

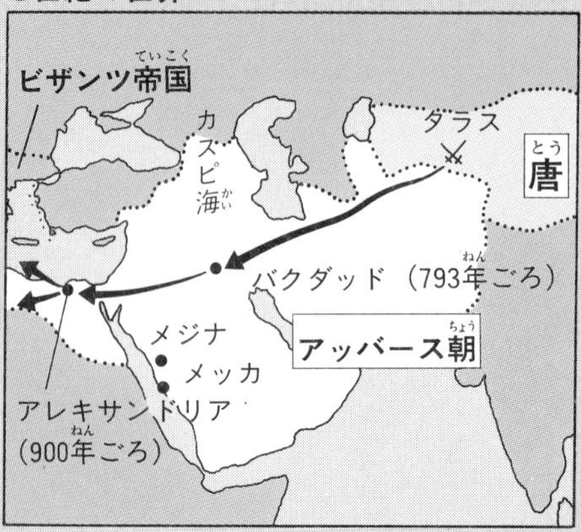

ビザンツ帝国《ていこく》
カスピ海《かい》
タラス
唐《とう》
バクダッド（793年《ねん》ごろ）
メジナ
メッカ
アッバース朝《ちょう》
アレキサンドリア
(900年《ねん》ごろ)

タラス河畔《かはん》の戦《たたか》い　タラス河畔《かはん》の戦《たたか》いで、アッバース朝《ちょう》の軍《ぐん》が唐《とう》の軍《ぐん》をやぶりました。

中央《ちゅうおう》アジアで唐《とう》とイスラム教徒《きょうと》の国《くに》が戦《たたか》う

七五二年《ねん》、日本《にほん》では東大寺《とうだいじ》の大仏《だいぶつ》開眼供養《かいげんくよう》が、はなやかにとりおこなわれました。この年《とし》の前年《ぜんねん》、七五一年《ねん》に中央《ちゅうおう》アジアでは、タラス川《がわ》の近《ちか》くで、唐王朝《とうおうちょう》とイスラム教徒《きょうと》のアッバース朝《ちょう》の軍《ぐん》が戦《たたか》いました。

タラス川《がわ》は、古《ふる》くから東西《とうざい》をむすぶ陸上交易《りくじょうこうえき》のたいせつな道《みち》すじにあたっていました。このころ唐王朝《とうおうちょう》の領土《りょうど》は、中央《ちゅうおう》アジアまでひろがっていました。イスラム教《きょう》を信《しん》じるアラブ人《じん》が、この中央《ちゅうおう》アジアに進出《しんしゅつ》し、ついにタラス河畔《かはん》の戦《たたか》いがおこりました。この戦《たたか》いは、イスラム教徒《きょうと》の軍《ぐん》が勝《か》ちました。

紙《かみ》をつくる技術《ぎじゅつ》が中国《ちゅうごく》から世界《せかい》につたわる

このとき、イスラム側《がわ》にとらえられた中国側《ちゅうごくがわ》の人《ひと》のなかに、紙《かみ》すき職人《しょくにん》がいました。後漢《ごかん》の時代《じだい》の一〇五年《ねん》ごろ、蔡倫《さいりん》という人《ひと》によって改良《かいりょう》された、製紙法《せいしほう》（紙《かみ》をつくる技術《ぎじゅつ》や知識《ちしき》）は、この人《ひと》たちにより、イスラム世界《せかい》につたわりました。まもなく中央《ちゅうおう》アジアのサマルカンドに、製紙工場《せいしこうじょう》が建《た》てられました。

紙《かみ》は文字《もじ》をしるし、文化《ぶんか》の発達《はったつ》に大《おお》いに役《やく》だつものでした。九〇〇年《ねん》ごろにはエジプトに、一二世紀《せいき》にはスペインに製紙工場《せいしこうじょう》が建《た》てられ、その後《ご》、ヨーロッパにつたえられました。

いっぽう、日本《にほん》には、朝鮮《ちょうせん》の高句《こうく》麗《り》王《おう》に派遣《はけん》された僧《そう》の曇徴《どんちょう》によって、六一〇年《ねん》にすみや絵《え》の具《ぐ》などとともに、紙《かみ》の製法《せいほう》もつたえられました。

第4章

鑑《がん》真《じん》と遣《けん》唐《とう》使《し》船《せん》

あらしにあう鑑《がん》真《じん》一行《いっこう》『鑑真《がんじん》和上東征絵伝《わじょうとうせいえでん》』

　奈良時代《ならじだい》に仏教《ぶっきょう》がさかんになり、たくさんの寺《てら》が建《た》てられると、国《くに》の平安《へいあん》をいのるための僧《そう》の数《かず》もふえていきました。そこで、僧《そう》の資格《しかく》をさずけることのできる戒律僧《かいりつそう》が必要《ひつよう》になってきました。

　朝廷《ちょうてい》では、唐《とう》から戒律僧《かいりつそう》をまねこうと考《かんが》え、ふたりの僧《そう》を派《は》遣《けん》しました。日本行《にほんゆ》きをうけいれたのは、すぐれた僧《そう》の鑑真《がんじん》でした。鑑真《がんじん》は中国《ちゅうごく》の役人《やくにん》につれもどされたり、あらしにあうなどたいへんな苦労《くろう》をしたすえ、日本《にほん》にやってきます。

遣唐使《けんとうし》を派遣《はけん》する

六一八年《ねん》、中国大陸《ちゅうごくたいりく》では隋《ずい》にかわって唐《とう》がおこりました。
唐《とう》は広大《こうだい》な領土《りょうど》を背景《はいけい》に、西《にし》アジアなどの国《くに》ぐにと交流《こうりゅう》し、国際的《こくさいてき》な文化《ぶんか》をきずいていました。

藤原京《ふじわらきょう》——
唐《とう》には世界《せかい》の文化《ぶんか》が集《あつ》まっているという…
「大宝律令《たいほうりつりょう》」もでき国《くに》としての形《かたち》がととのったいま
唐《とう》に使節《しせつ》をおくって進《すす》んだ文化《ぶんか》や政治《せいじ》の制度《せいど》を学《まな》びましょう
それはいい!
さっそく遣唐使《けんとうし》を派遣《はけん》しなさい
文武天皇《もんむてんのう》

七〇二年《ねん》、日本《にほん》は三二年《ねん》ぶりに粟田真人《あわたのまひと》を正使《せいし》に、山上憶良《＊やまのうえのおくら》、僧道慈《そうどうじ》ら留学生《りゅうがくせい》や留学僧《りゅうがくそう》をのせた遣唐使船《けんとうしせん》を派遣《はけん》しました。
やがて藤原京《ふじわらきょう》から平城京《へいじょうきょう》に都《みやこ》がうつると、仏教《ぶっきょう》は国家《こっか》の保護《ほご》のもとで発展《はってん》しました。
平城京《へいじょうきょう》には寺《てら》が建《た》てられ、国《くに》の平安《へいあん》をいのる僧侶《そうりょ》もたくさんうまれました。
政府《せいふ》は僧《そう》にたいしてきびしく修行《しゅぎょう》するようにもとめました。
栄叡《えいえい》
普照《ふしょう》
コクリコクリ
しかし僧《そう》のなかには、お経《きょう》も読《よ》めないような者《もの》がたくさんいました。
わっはは酒《さけ》もってこい酒《さけ》ーっ！
キャハハハ…
……
まったく…！
政府《せいふ》にまもられているのをいいことに…
なんてやつらだっ！

＊山上憶良《やまのうえのおくら》は、万葉《まんよう》の歌人《かじん》として知《し》られていますが、とくに『貧窮問答歌《ひんきゅうもんどうか》』で有名《ゆうめい》です（二七ページ参照《さんしょう》）。

このところの僧《そう》のおこないには目《め》にあまるものがある！
ろくすっぽ経《きょう》もあげられぬばかりか酒《さけ》をのんで女《おんな》とたわむれる者《もの》もいる
もうしわけございません
なにぶん僧《そう》の数《かず》がふえますと…
仏教《ぶっきょう》の力《ちから》で国《くに》をまもるためだ
藤原武智麻呂《ふじわらのむちまろ》
しかたあるまい！
そもそも僧《そう》になるのをきびしくしなければ！
もちろん試験《しけん》をおこないきびしくとりしまってはいますが…
とにかくこのままではこまる！
中国《ちゅうごく》では僧《そう》に＊戒律《かいりつ》をさずける戒律僧《かいりつそう》という者《もの》がいて
それはきびしいものでございます
その戒律僧《かいりつそう》を日本《にほん》にまねこう！
ちょうどよい遣唐使《けんとうし》を派遣《はけん》しようとしていたところだ

＊戒律《かいりつ》とは、僧《そう》がまもらなければならない規律《きりつ》。

戒律僧《かいりつそう》をもとめて

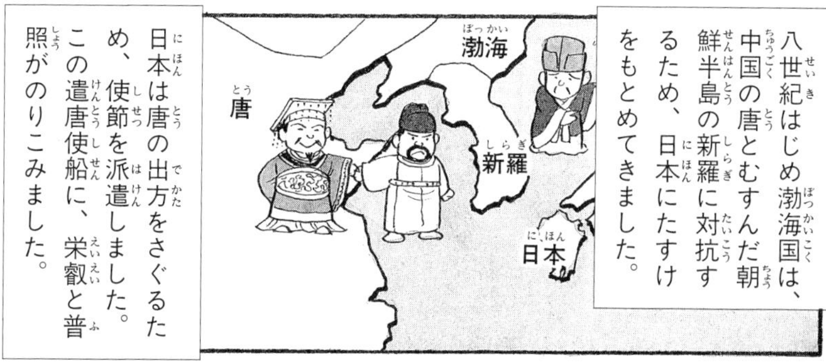
八世紀《せいき》はじめ渤海国《ぼっかいこく》は、中国《ちゅうごく》の唐《とう》とむすんだ朝《ちょう》鮮半島《せんはんとう》の新羅《しらぎ》に対抗《たいこう》するため、日本《にほん》にたすけをもとめてきました。
渤海《ぼっかい》
唐《とう》
新羅《しらぎ》
日本《にほん》
日本《にほん》は唐《とう》の出方《でかた》をさぐるため、使節《しせつ》を派遣《はけん》しました。この遣唐使船《けんとうしせん》に、栄叡《えいえい》と普《ふ》照《しょう》がのりこみました。

七三三年《ねん》、多治比広成《たじひのひろなり》を正使《せいし》とする遣唐使船《けんとうしせん》が中国《ちゅうごく》へむかいました。

遣唐使船《けんとうしせん》の航路《こうろ》
北路《ほくろ》
博多《はかた》
難波《なにわ》
南路《なんろ》
いま日本《にほん》は新羅《しらぎ》と争《あらそ》っている そこで今回《こんかい》は南路《なんろ》をとる
天気《てんき》もよいしだいじょうぶでしょう
遣唐使船《けんとうしせん》は、九州《きゅうしゅう》の博多《はかた》から壱岐《いき》、対馬《つしま》をへて朝《ちょう》鮮半島《せんはんとう》にそって進《すす》む北路《ほくろ》をとっていました。やがて新羅《しらぎ》との関係《かんけい》がわるくなると、博多《はかた》から西《にし》へむかう南路《なんろ》をとりました。

あらしがきたぞーっ！
うわぁーっ！
おーいがんばるんだぁーっ！

ムニャ　ムニャ…
も　もう　だめだ ー！

どうにかきりぬけたものの船団《せんだん》はばらばら…
ここはどこでしょう？
うーんだいぶ南《みなみ》にながされたようだ…
唐《とう》には着《つ》けるでしょうか？
わからん！
こうして船《ふね》は一か月《げつ》あまり漂流《ひょうりゅう》しました。
これ以上《いじょう》漂流《ひょうりゅう》したら水《みず》も食料《しょくりょう》もなくなる…
もうだめか…
おーい！陸《りく》が見《み》えたぞーっ！
黄河《こうが》
五台山《ごだいさん》
長安《ちょうあん》
運河《うんが》
洛陽《らくよう》
長江《ちょうこう》
揚州《ようしゅう》

唐《とう》の都《みやこ》・長安《ちょうあん》
やっと ついた… 長安《ちょうあん》の 都《みやこ》だ!
長安《ちょうあん》をもとに 奈良《なら》の都《みやこ》が つくられたと いいますが 大《おお》きさが まるで ちがう…!
それにしても たくさんの 人《ひと》ですねぇ
人口《じんこう》 一〇〇万《まん》 世界一《せかいいち》の 都《みやこ》です

そうですか 日本《にほん》から はるばる…
それで …?
天皇《てんのう》の命令《めいれい》で 戒律《かいりつ》をさずける 名僧《めいそう》をさがして いるのですが…
なんですと? 海《うみ》をわたって 日本《にほん》へいく…? そんな僧《そう》は いませんよ
…… ……
戒律僧《かいりつそう》をもとめて一〇年《ねん》にもわたるふたりの長《なが》い旅《たび》がつづきました。
そして揚州《ようしゅう》にまでやってきたとき…
わかりました わたしが まいりましょう
鑑真《がんじん》
あ… ありがとう ございます
仏《ほとけ》のおしえを ひろめる ためなら
海《うみ》をわたり 山《やま》をこえても でかけます!

海《うみ》をわたる鑑真《がんじん》

鑑真一行《がんじんいっこう》は、船《ふね》をしたて五回《かい》にわたり日本《にほん》にむかいましたが、海賊《かいぞく》とまちがえられたり、あらしにあって難破《なんぱ》するなど…
いずれも失敗《しっぱい》しました。
栄叡《えいえい》と普照《ふしょう》が日本《にほん》をでて一六年目《ねんめ》、栄叡《えいえい》は病《やまい》にたおれました。
わたしはもうだめだ…なんとか鑑真《がんじん》さまを日本《にほん》に…
栄叡《えいえい》ーっ！
おまえとともに日本《にほん》にわたりたかった…
渡海《とかい》の苦労《くろう》で鑑真《がんじん》は目《め》が見《み》えなくなっていました。

このころ日本《にほん》では、国《こく》分寺《ぶんじ》・国分尼寺《こくぶんにじ》が建《た》てられ、大仏《だいぶつ》づくりがはじまっていました。
聖武天皇《しょうむてんのう》はますます仏《ぶっ》教《きょう》を信仰《しんこう》したので、僧《そう》の数《かず》はどんどんふえつづけていました。
いつになったら戒律《かいりつ》をさずける僧《そう》がくるのだ?
はやくおあいしたいものですね
はっ 鑑真和上《がんじんわじょう》はいま渡海《とかい》の準備《じゅんび》をしております
質《しつ》のわるい僧《そう》をなくすためにはやくきてもらいたいものです…
七五二年《ねん》、日本《にほん》から大《たい》使《し》・藤原清河《ふじわらのきよかわ》、副使《ふくし》・大伴古麻呂《おおとものこまろ》、吉備真備《きびのまきび》らをのせた遣唐使船《けんとうしせん》が出発《しゅっぱつ》しました。
七五三年《ねん》、正月《しょうがつ》
唐《とう》の大明宮含元殿《たいめいきゅうがんげんでん》の*朝賀《ちょうか》の儀式《ぎしき》

*朝賀《ちょうが》とは、元日《がんじつ》に臣下《しんか》たちが、皇帝《こうてい》や天皇《てんのう》に年始《ねんし》のあいさつをすることです。

ガヤ
ガヤ
日本《にほん》が新羅《しらぎ》の下《した》の席《せき》になるのはおかしい！
かわっていただきたい！
失礼《しつれい》な！なにをいうか
まあまあ そういわずに かわって やりなさい
大伴古麻呂《おおとものこまろ》は唐皇帝《とうこうてい》への謁見《えっけん》の席《せき》をめぐって、新羅《しらぎ》にたいして日本《にほん》の立場《たちば》を主張《しゅちょう》しました。
新羅《しらぎ》
日本《にほん》
こののち、日本《にほん》と新羅《しらぎ》の関係《かんけい》は、ますますわるくなっていきました。

唐帝国《とうていこく》と皇帝《こうてい》

このころ世界最大《せかいさいだい》の唐帝国《とうていこく》には、日本《にほん》をはじめ、朝鮮半島《ちょうせんはんとう》や、東南《とうなん》アジア、西《にし》アジアなど、たくさんの国《くに》ぐにの使節《しせつ》がおとずれ、皇帝《こうてい》にみつぎ物《もの》をさしだしました。

皇帝《こうてい》は、使節《しせつ》をおくってきた国《くに》ぐにをみとめ、中国《ちゅうごく》との友好《ゆうこう》をやくそくしました。

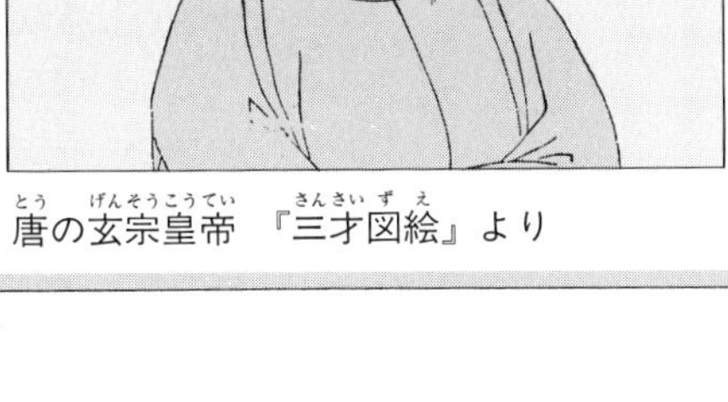

唐《とう》の玄宗皇帝《げんそうこうてい》　『三才図絵《さんさいずえ》』より

唐《とう》の都《みやこ》・長安《ちょうあん》
遣唐使船《けんとうしせん》で唐《とう》にきて三五年《ねん》…
日本《にほん》にかえりたいのですが
阿倍仲麻呂《あべのなかまろ》
なかなか皇帝《こうてい》のゆるしがでないのです…
わたしたちとかえれるようとりはからいましょう
おおっ古麻呂《こまろ》どのありがたい！
やっと日本《にほん》にかえれるぞ！
かえりの船《ふね》に鑑真《がんじん》さまをおのせください！
おおっミカドもおまちかねだどうにかしましょう
そ…それはありがたい…！

七五三年《ねん》
揚州《ようしゅう》──
ささっ
はやく
遣唐使船《けんとうしせん》には、阿倍仲麻呂《あべのなかまろ》や鑑真一行《がんじんいっこう》がのりこみました。

鑑真《がんじん》さま もはや これまで…
あきらめては いけません!
仏《ほとけ》にいのる のです!

翌年《よくとし》――
日本《にほん》が見《み》えるぞーっ！
よ よかった…
これもみ仏《ほとけ》のご加護《かご》です
やっと
日本《にほん》の地《ち》をふむことができた！
鑑真和上《がんじんわじょう》どのよくご無事《ぶじ》で日本《にほん》にこられました
ミカドがおまちでございます

東大寺《とうだいじ》——
七五四年《ねん》、鑑真《がんじん》によって聖武太上天皇《しょうむだいじょうてんのう》、光明皇后《こうみょうこうごう》、孝謙天皇《こうけんてんのう》、僧《そう》四〇〇人《にん》が戒律《かいりつ》をさずけられました。
ああ…これでわたしもみ仏《ほとけ》のもとにいけますありがたいこと…

唐招提寺《とうしょうだいじ》

鑑真《がんじん》は聖武天皇《しょうむてんのう》のすすめで唐招《とうしょう》提寺《だいじ》を建《た》て、多《おお》くの弟子《でし》をそだてなくなりました。

その後鑑真《ごがんじん》は弟子《でし》たちの手《て》で、木像《もくぞう》となって寺《てら》と仏法《ぶっぽう》をまもっていましたが、一九八〇（昭和《しょうわ》五五）年《ねん》、木像《もくぞう》は故郷中国《こきょうちゅうごく》の大明寺《だいめいじ》におくられました。鑑真《がんじん》は日本《にほん》にきてから一二二七年《ねん》ぶりに木像《もくぞう》として故郷《こきょう》にかえったのです。鑑真《がんじん》の木《もく》像《ぞう》は、現在唐招提寺《げんざいとうしょうだいじ》にもどってきています。

鑑真《がんじん》の木像《もくぞう》

のこされた阿倍仲麻呂《あべのなかまろ》

ところで阿倍仲麻呂《あべのなかまろ》をのせた遣唐使船《けんとうしせん》は、あらしのために日本《にほん》には着《つ》きませんでした。
……
……

天《あま》の原《はら》　ふりさけ見《み》れば　春日《かすが》なる
三笠《みかさ》の山《やま》に　いでし月《つき》かも
〈訳《やく》〉大空《おおぞら》をはるかに見《み》はらすと、
ふるさとの春日《かすが》(奈良県《ならけん》)にある
三笠山《みかさやま》の上《うえ》にのぼる月《つき》と
同《おな》じ月《つき》がのぼっている。
その後《ご》、仲麻呂《なかまろ》は日本《にほん》にかえることなく唐《とう》でなくなりました。

このころの世界《せかい》

6〜8世紀《せいき》の世界《せかい》

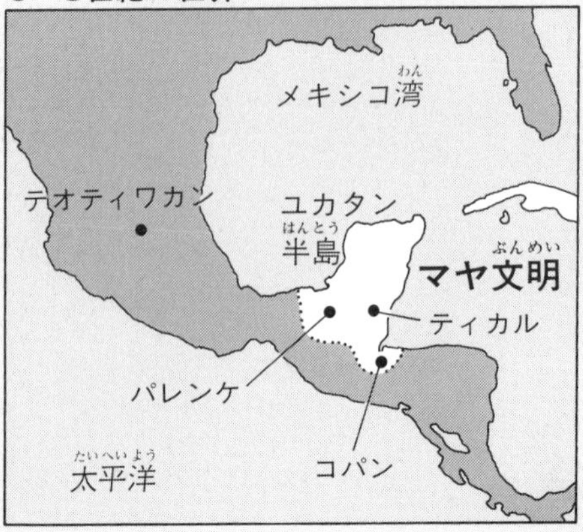

メキシコ湾《わん》
テオティワカン
ユカタン半島《はんとう》
マヤ文明《ぶんめい》
ティカル
パレンケ
コパン
太平洋《たいへいよう》

碑文《ひぶん》の神殿《しんでん》　パレンケ（メキシコ）にのこるマヤ人《じん》のつくったピラミッド形《がた》の神殿《しんでん》。

ユカタン半島《はんとう》にさかえたマヤ文明《ぶんめい》

日本《にほん》の飛鳥時代《あすかじだい》から奈良時代《ならじだい》の六〜八世紀《せいき》ごろ、アメリカ大陸中央部《たいりくちゅうおうぶ》のメキシコのユカタン半島一帯《はんとういったい》の熱《ねっ》帯樹林《たいじゅりん》のなかに、マヤ文明《ぶんめい》がさかえていました。

とうもろこしを主食《しゅしょく》とするマヤ人《じん》は、日本《にほん》の古墳時代《こふんじだい》のころに、文明《ぶんめい》を発達《はったつ》させ、このころ黄金時代《おうごんじだい》をきずいたのです。

マヤ文明《ぶんめい》では、現在《げんざい》、私《わたし》たちが使《つか》っているグレゴリ（グレゴリウス）暦《れき》よりも正確《せいかく》な暦《こよみ》が発明《はつめい》され、複雑《ふくざつ》な形《かたち》の象形文字《しょうけいもじ》が発明《はつめい》されて、暦《こよみ》の月《つき》や日《ひ》の名《な》まえ、人名《じんめい》、できごとなどをあらわすのに使《つか》われました。また、インドで発見《はっけん》される前《まえ》に、すでに数字《すうじ》の「0」という考《かんが》え方《かた》ももっていました。

ピラミッド形神殿《がたしんでん》の底《そこ》にマヤ王《おう》がほうむられた

マヤの人《ひと》びとは、パレンケ、ティカル、コパンなどの都市《とし》をつくり、石《いし》の宮殿《きゅうでん》や神殿《しんでん》を建《た》て、人物《じんぶつ》をきざんだ石碑《せきひ》を置《お》きました。

そのうち、パレンケの遺跡《いせき》には、「碑文《ひぶん》の神殿《しんでん》」とよばれるピラミッド形《がた》の神殿《しんでん》があります。ピラミッドの上《うえ》に神殿《しんでん》が建《た》っていますが、ピラミッドの内部《ないぶ》の底《そこ》には墓室《ぼしつ》がつくられています。その部屋《へや》には、重《おも》さ数《すう》トンもある一枚《まい》の岩《いわ》におおわれた、マヤ王《おう》の石《いし》の棺《ひつぎ》が置《お》かれていました。岩《いわ》の表面《ひょうめん》にはいけにえとされた男《おとこ》の像《ぞう》や、複雑怪奇《ふくざつかいき》な文字《もじ》などが、こまかく彫刻《ちょうこく》されていました。この棺《ひつぎ》は、マヤ王《おう》のものでした。

第5章 くるしかった農民《のうみん》のくらし

奈良時代《ならじだい》の農民《のうみん》の住居《じゅうきょ》の復元《ふくげん》
長野県《ながのけん》平出遺跡《ひらいでいせき》

奈良時代《ならじだい》の農民《のうみん》たちはさまざまな税《ぜい》をおさめ、くるしい生活《せいかつ》をおくっていました。田《た》でとれたイネの一部《いちぶ》をおさめる「租《そ》」、絹《きぬ》をはじめ地方《ちほう》の特産物《とくさんぶつ》をおさめる「調《ちょう》」、労役《ろうえき》のかわりにおさめる布《ぬの》などの「庸《よう》」がその税《ぜい》です。このほか農民《のうみん》たちには、国司《こくし》のもとではたらく「雑徭《ぞうよう》」、兵士《へいし》としてはたらく兵役《へいえき》の義務《ぎむ》などがありました。

都《みやこ》で貴族《きぞく》たちがはなやかにくらしているころ、地方《ちほう》の農民《のうみん》は重《おも》い税《ぜい》にくるしみながら、一生《いっしょう》懸命《けんめい》はたらいていました。

まずしい農民《のうみん》のくらし
下総《しもうさ》(千葉県《ちばけん》)
葛飾郡大島郷《かつしかぐんおおじまごう》――
ぐつぐつ
じゅる
いよいよ
イネかりだ!
きょうは
村中《むらじゅう》みんなで
イネかりだぞ
今年《ことし》は
晴《は》れの日《ひ》が
つづき
コメはよく
実《みの》ったわね

でもせっかくとれたコメもほとんど税《ぜい》にもっていかれる!
みんななくなってしまうかも…
まったくだ!
コメをつくってもおれたちの手《て》もとにはなにものこらねぇ
くらしにくい世《よ》の中《なか》だねぇ…
不平《ふへい》をいわずにはたらこう!

たねもみを借《か》りる農民《のうみん》

このころの農民《のうみん》は、春《はる》になっても田畑《たはた》にまくイネやアワのたねもみがありませんでした。そこで、郡《ぐん》の役所《やくしょ》からたねもみとしてイネやアワをかりうけ、秋《あき》の収穫《しゅうかく》のとき、利息《りそく》をつけてかえしました。

これが「出挙《すいこ》」といわれるもので、郡《ぐん》からかりるものは五割《わり》、個《こ》人《じん》からかりると一〇割《わり》もの利息《りそく》をとられ、農民《のうみん》のくらしをますますくるしいものにしました。

地方《ちほう》にあった倉庫《そうこ》の復元《ふくげん》

この時代《じだい》、田《た》は面積《めんせき》がはっきりするように、正方形《せいほうけい》に区画《くかく》されていました。
農民《のうみん》は国《くに》からあたえられた口分田《くぶんでん》をたがやし、イネの一部《ぶ》を税《ぜい》（租《そ》）としておさめました。
ザクッ

農民《のうみん》たちは田《た》でコメをつくるかたわら、ムギ、ヒエ、アワ、マメなどの雑穀《ざっこく》をうえたり、野菜《やさい》をつくり、自分《じぶん》たちの食料《しょくりょう》にしていました。
また、労役《ろうえき》のかわりに麻《あさ》布《ぬの》などをおさめる税《ぜい》(庸《よう》)のため、麻《あさ》をうえ、栽培《さいばい》しました。
農民《のうみん》たちは、口分田《くぶんでん》をたがやしているだけでは、食《た》べていけませんでした。
そこで、口分田《くぶんでん》をわけたときにのこった田《た》(乗田《じょうでん》)や貴族《きぞく》や寺社《じしゃ》の土地《とち》をかりてたがやし、賃金《ちんぎん》をもらいました。

税《ぜい》をおさめる農民《のうみん》

では国司《こくし》のところへいってきます
気《き》をつけてな
さあいこうか
ああ…

成人《せいじん》した男子《だんし》には、一年間《ねんかん》に六〇日《にち》国司《こくし》のもとではたらく、税《ぜい》(雑徭《ぞうよう》)がありました。しかし、それ以外《いがい》に…

おまえの村《むら》は馬《うま》の手《て》入《い》れ!
そっちはそうじ!
あとのものは田《た》をたがやせ!
いいかしっかりはたらくんだぞ!

いま　田《た》が いそがしい ときなのに…
国司《こくし》にこき つかわれるのは つらいなぁ
これも さだめだ しかたない だろう
それにしても こんどの国司《こくし》は いやなやつだなー
なんで おれたちに 自分《じぶん》の田《た》を たがやさせるんだろう…
しっ 役人《やくにん》が きたぞ
パキ パキ
トン トン
タン タン

トン
トン
トン
ああ…くらしはらくにならんなぁ
あんたそろそろ里長《さとおさ》が税《ぜい》をとりにくるよ
トン
トン
もんくいわないではたらきましょう…
農民《のうみん》の税《ぜい》には、イネでおさめる「租《そ》」、地方《ちほう》の特産物《とくさんぶつ》をおさめる「調《ちょう》」、労役《ろうえき》のかわりにおさめる布《ぬの》などの「庸《よう》」、一年《ねん》のうち、きめられた期間《きかん》はたらく「雑徭《ぞうよう》」などがありました。
都《みやこ》づくりは何年《なんねん》もかかるらしい
そのためにとなりの村《むら》から何人《なんにん》かがでかけたぞ
都《みやこ》まで歩《ある》いて四〇日《にち》…無事《ぶじ》にかえれればいいが…
まったく命《いのち》がけだねぇ

都《みやこ》がりっぱでもくらしがらくになるわけじゃないし
おれたちには関係《かんけい》ないことよ…
まったくだ!
農民《のうみん》たちのもつ田《た》のなかには、いくのに半日《はんにち》もかかる遠《とお》い土《と》地《ち》もありました。
トボトボ
あんな土地《とち》にはかよえない…人《ひと》にかしてしまおう
やがて農民《のうみん》は、田《た》を人《ひと》にかしたり、売《う》ったりするようになりました。
でも税《ぜい》だけははらえよ!
どっひゃあ〜〜〜

戸籍《こせき》や税制《ぜいせい》について

農民《のうみん》たちは租《そ》・調《ちょう》・庸《よう》などをおさめる以外《いがい》にも、国司《こくし》のもとではたらく雑徭《ぞうよう》や、調《ちょう》・庸《よう》を中央《ちゅうおう》まではこぶ仕事《しごと》もしなければなりませんでした。また国《くに》の防衛《ぼうえい》に、外敵《がいてき》となりあう九州《きゅうしゅう》や壱岐《いき》・対馬《つしま》に防人《さきもり》としていくこともありました。戸籍《こせき》・計帳《けいちょう》は、こうした税《ぜい》をおさめる人《ひと》びとをきちんと把握《はあく》するためにつくられたもので、名《な》まえ、性別《せいべつ》のほか、その人《ひと》とわかるよう身体《しんたい》の特徴《とくちょう》がしるされていました。

税《ぜい》をはこぶ人《ひと》びと

おーい 役人《やくにん》と里長《さとおさ》がきたぞーっ!
税《ぜい》の とりたてに きたんだ
ごくろう さまです
んっ! 用意《ようい》 できたか?
へい!
あした 租《そ》は 国司《こくし》の倉《くら》に 調《ちょう》と庸《よう》は都《みやこ》に はこぶ!
それぞれの 村《むら》から力《ちから》の あるやつを ふたりずつ だすように
はいっ
租《そ》のコメは、その地方《ちほう》の国司《こくし》におさめられましたが、調《ちょう》と庸《よう》は、遠《とお》く奈良《なら》の都《みやこ》へはこばれました。

おいっ がんばれ！ まもなくつぎの 駅《えき》に着《つ》くぞ
さあ 着《つ》いた 今夜《こんや》は ここに とまる
いやぁ きついなー
あと三〇日《にち》 都《みやこ》は 遠《とお》いなぁ…
さあ乾飯《ほしいい》だ 旅《たび》は長《なが》いから 少《すこ》しずつ食《た》べよう
このぶんだと 都《みやこ》に着《つ》いても かえりの 飯《めし》がないぞ
そのときは なんとか するさ
ポリ

はあ はあ
はあ
はあ
都《みやこ》だ…!
やっと ついた…
こうして都《みやこ》にはこばれた調《ちょう》と庸《よう》は、朝廷《ちょうてい》の倉庫《そうこ》にたくわえられました。
よーし おわった
おまえたちは かってに かえれっ!
えっ! かってに…?
かえりの旅費《りょひ》や食料《しょくりょう》がたりないのですが…かしてもらえませんか?
それはできん!
さっ かえれ かえれ
……
とぼ とぼ

田《た》をひらく農民《のうみん》
いま都《みやこ》づくりのため たくさんの お金《かね》が必要《ひつよう》である
それなのに 農民《のうみん》たちの なかには 男子《だんし》を女子《じょし》と いつわって 戸籍《こせき》を ごまかしたり
土地《とち》を はなれたり 国《くに》からわけ あたえられた 田《た》を質《しち》にだしたり
国司《こくし》
かってに 僧《そう》となって 税《ぜい》をのがれる 者《もの》があとを たたない！
これでは 国《くに》の税《ぜい》は へるいっぽう だ！
もうしわけ ございません
そこで 新《あたら》しく田《た》を ひらくために 「百万町歩《ひゃくまんちょうぶ》 開墾計画《かいこんけいかく》」を 考《かん》えた
百万町歩《ひゃくまんちょうぶ》 も…？
国《くに》が農民《のうみん》に 食料《しょくりょう》や道具《どうぐ》を あたえ 新《あたら》しい田《た》を きりひらく！
これで全国《ぜんこく》で 田畑《たはた》がふえれば 税《ぜい》の収入《しゅうにゅう》も ふえる！

さっそく国《くに》にかえって新《あら》しい田《た》をきりひらくようつたえよ！
ははっ！
七二二年《ねん》、朝廷《ちょうてい》は「百《ひゃく》万町歩《まんちょうぶ》開墾計画《かいこんけいかく》」を発《はっ》表《ぴょう》しました。
国司《こくし》
命令《めいれい》
郡司《ぐんじ》
命令《めいれい》
里長《さとおさ》
命令《めいれい》
農民《のうみん》
百万町歩《ひゃくまんちょうぶ》も田《た》をひらけだと？
これ以上《いじょう》はたらけというのか！
国司《こくし》
郡司《ぐんじ》
農民《のうみん》たちはいっこうに田《た》をつくろうとしません
うーんそうだろうなこれはどうも無理《むり》な計画《けいかく》だ

朝廷《ちょうてい》からの伝令《でんれい》です
＊溝《みぞ》や池《いけ》をつくり田《た》をひらいた者《もの》には三代《だい》にわたってその田《た》を自分《じぶん》のものにできる
もとからある溝《みぞ》や池《いけ》を使《つか》って田《た》をひらいた者《もの》には本人《ほんにん》一代《だい》かぎりに田《た》の所有《しょゆう》をみとめる

＊この法令《ほうれい》は「三世一身《さんぜいっしん》の法《ほう》」とよばれ、七二三年《ねん》にさだめられました。

これなら農民《のうみん》たちもやるでしょう
うん！いけそうだ！
よいか！村《むら》をあげて新《あたら》しい田《た》をひらくのだ！
よしやるぞーっ！
でも二代《だい》目《め》から田《た》は国《くに》のものになる
それじゃあなんにもならないね
つべこべいわずにやってみろ！
わかりました
もとからある水路《すいろ》を使《つか》ってひらいた田《た》は、朝《ちょう》廷《てい》にとられるため、たがやすものがいなくなってしまいました。
七四三年《ねん》、朝廷《ちょうてい》は自分《じぶん》でひらいた田《た》は、永年《えいねん》に所有《しょゆう》してよいという「墾田永年私《こんでんえいねんし》財法《ざいほう》」をだして、田地《でんち》の開《かい》墾《こん》を進《すす》めました。

おれたちの田《た》ができるなんて…うれしいねぇ
でもひとたびききんがくれば
田《た》を売《う》りとばさなければならなくなる！
まあそれもしかたないさ…
ところで都《みやこ》ではどでかい大仏《だいぶつ》をつくっているそうだ
そのためにたくさんの村人《むらびと》がかりだされるとよ
なんでも国《くに》をまもり平和《へいわ》をあたえる仏《ほとけ》さまだと…
まぁおれたちには関係《かんけい》ないね
それよりこれ以上《いじょう》はたらき手《て》を都《みやこ》につれていかれちゃかなわんよ
まったくだ…！

防人《さきもり》にいく農民《のうみん》

えーん えーん いかないでよーっ
元気《げんき》でな…
農民《のうみん》たちには、一年間《ねんかん》、都《みやこ》で朝廷《ちょうてい》の警護《けいご》にあたる衛士《えじ》や、三年間《ねんかん》、九州北《きゅうしゅうほく》部《ぶ》にいって防衛《ぼうえい》にあたる防人《さきもり》などの、兵《へい》となる義《ぎ》務《む》もありました。
かならずかえってくる！それまでのしんぼうだ
えーん えーん
田《た》と子《こ》どもたちをたのむ！
は はい…
からだには気《き》をつけるのだよ…
こんなに急《きゅう》にとられるなんて…
もう二度《ど》と生《い》きてあえないかも

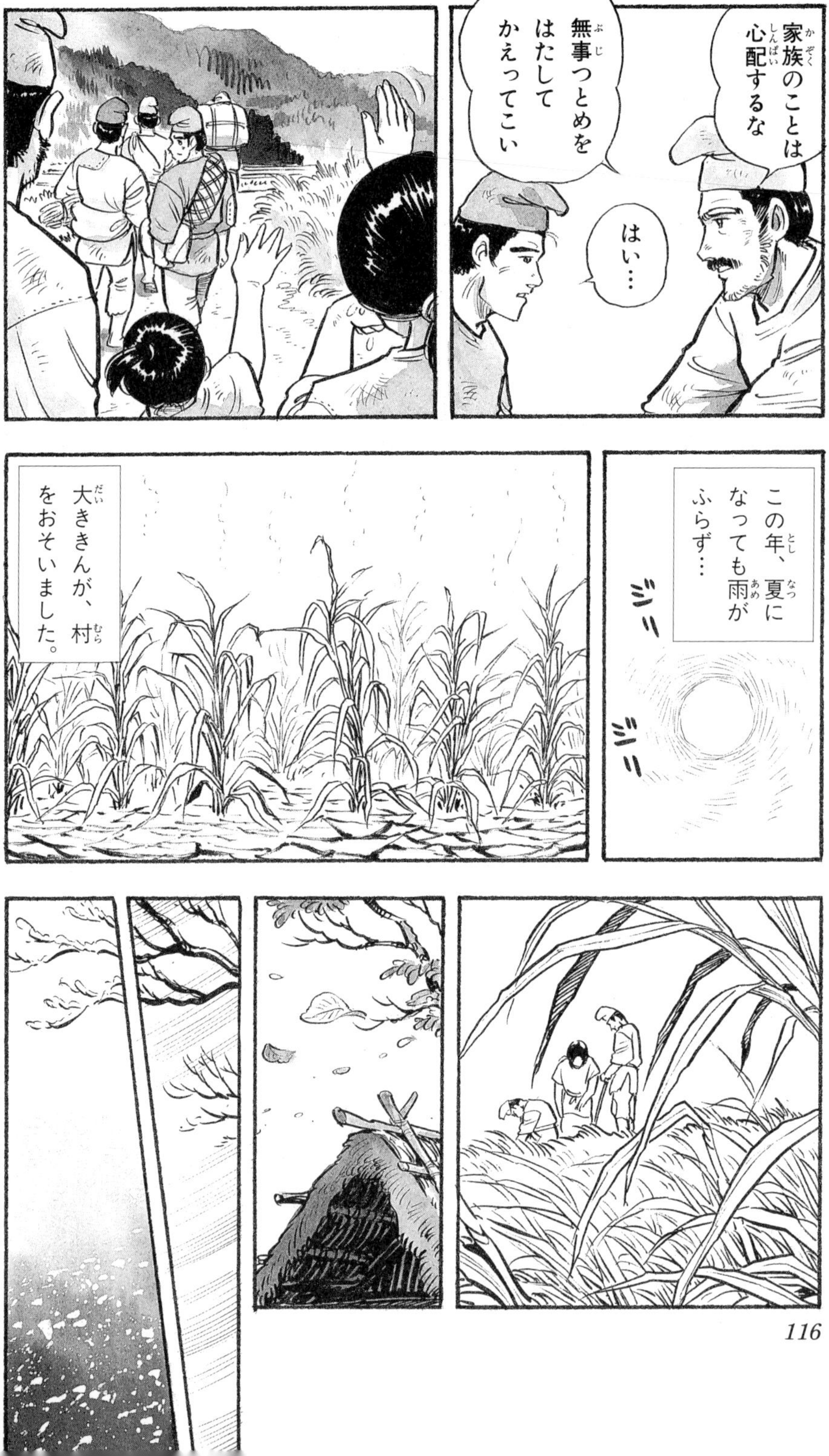
家族《かぞく》のことは心配《しんぱい》するな
無事《ぶじ》つとめをはたしてかえってこい
はい…
この年《とし》、夏《なつ》になっても雨《あめ》がふらず…
ジリ
ジリ
大《だい》ききんが、村《むら》をおそいました。

「貧《ひん》窮《きゅう》問《もん》答《どう》歌《か》」

九州《きゅうしゅう》の筑前守《ちくぜんのかみ》をつとめていた山《やまの》上憶良《うえのおくら》は、まずしい人《ひと》の身《み》になって歌《うた》をよみました。

「…つぶれかかって柱《はしら》もまがったあばら屋《や》のなかで、じかに地面《じめん》にわらをしき、父母妻子《ふぼさいし》みなよりかかってねる。腹《はら》がすいても、たく飯《めし》がないので、甑《こしき》(むし器《き》)にはクモの巣《す》がはっている。それなのに里長《さとおさ》はムチをもって税《ぜい》をとりにきて、ねやの戸口《とぐち》でわめいている」

これが『貧窮問答歌《ひんきゅうもんどうか》』です。

かまどの遺構《いこう》

ききんは農民《のうみん》のくらしを、すっかりだめにしてしまいました。
ザッ
やくそくの期日《きじつ》だ！さあコメや布《ぬの》をだすのだ！
そんなこといったってこのききんで…
なにもだす物《もの》はありません
どこかにかくしてはいないだろうな！
かくすもなにもコメの一《ひと》つぶだってありません…
むすこは防人《さきもり》にとられおじさんは都《みやこ》にのぼったままかえってこない…

もう食《た》べる物《もの》もないしいっそのこと一家《いっか》で村《むら》をすてるか!
どこへいったって同《おな》じよそれにここをはなれたらむすこがかえってくるところがないわ
…しかたないむすめを郡司《ぐんじ》のところへ売《う》ろう…
……
……
このころまずしい農民《のうみん》は、むすめやむすこを有力者《ゆうりょくしゃ》に売《う》ることがありました。
売《う》られた人《ひと》たちは、主《しゅ》人《じん》のもとで死《し》ぬまでこきつかわれました。
奈良《なら》の都《みやこ》で貴族《きぞく》や僧《そう》たちがはなやかなくらしをしていたころ、地方《ちほう》の農民《のうみん》たちは、重《おも》い税《ぜい》のため、くるしいくらしをしていました。

このころの世界《せかい》

8世紀《せいき》の世界《せかい》

ビザンツ帝国《ていこく》
黒《こっ》海《かい》
コンスタンティノープル
アッバース朝《ちょう》
地《ち》中《ちゅう》海《かい》
バクダッド
イスファハン
メジナ
メッカ
紅海《こうかい》

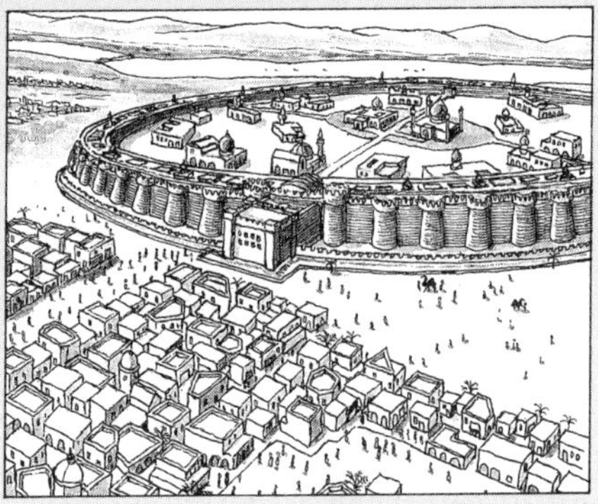

円形都市《えんけいとし》バクダッドの想像図《そうぞうず》　円形《えんけい》の城壁《じょうへき》のなかには、宮殿《きゅうでん》が建《た》てられていました。

平安《へいあん》の都《みやこ》、バグダッドがイラクの地《ち》につくられた

中国《ちゅうごく》から鑑真《がんじん》が日本《にほん》にむかえられ、唐招提寺《とうしょうだいじ》が建《た》てられた、八世紀《せいき》のなかごろ、イスラム世界《せかい》では、ウマイヤ朝《ちょう》にかわってアッバース朝《ちょう》が成立《せいりつ》しました。

アッバース朝《ちょう》の君主《くんしゅ》は、いまのイラクの地《ち》に、五年《ねん》がかりで新《あたら》しい首都《しゅと》バグダッドをつくりました。

バグダッドは正《ただ》しくは、「マディーナ＝アッサラーム」といい、アラビア語《ご》で平安《へいあん》の都《みやこ》という意味《いみ》です。八世紀《せいき》の末《まつ》には、日本《にほん》でも平安京《へいあんきょう》がつくられましたから、同《おな》じ時代《じだい》にアジアの西《にし》と東《ひがし》に、二《ふた》つの「平安京《へいあんきょう》」がさかえることになりました。

人口《じんこう》二〇〇万《まん》の円形都市《えんけいとし》バグダッド

日本《にほん》の平安京《へいあんきょう》は唐《とう》の長安《ちょうあん》をモデルとし、広《ひろ》い通《とお》りによって碁盤《ごばん》の目《め》のように区切《くぎ》られた都市《とし》でしたが、バグダッドは直径《ちょっけい》二三五二メートルの円形《えんけい》の都市《とし》でした。

円形《えんけい》の都市《とし》のまわりには、幅《はば》二〇メートルあまりの堀《ほり》がほられ、その内側《うちがわ》に三重《さんじゅう》の城壁《じょうへき》がつくられました。中心《ちゅうしん》の城壁《じょうへき》は、およそ厚《あつ》さが五〇メートル、高《たか》さが三四メートルもありました。

この巨大《きょだい》な城壁《じょうへき》の内側《うちがわ》に、王族《おうぞく》や政府《せいふ》の役人《やくにん》などがすみ、城壁《じょうへき》の外側《そとがわ》に民衆《みんしゅう》がくらしていました。

円形都市《えんけいとし》バグダッドは、イスラム帝国《ていこく》の政治《せいじ》や経済《けいざい》・文化《ぶんか》の中心地《ちゅうしんち》としてさかえ、九世紀《せいき》には、人口《じんこう》は二〇〇万《まん》に達《たっ》したといわれています。

第6章 道鏡《どうきょう》と女帝《じょてい》

海竜王寺《かいりゅうおうじ》の五《ご》重小塔《じゅうのしょうとう》 奈良《なら》県奈良市《けんならし》

聖武天皇《しょうむてんのう》に位《くらい》をゆずられたむすめの孝謙天皇《こうけんてんのう》は、母《はは》の光明皇太后《こうみょうこうたいごう》にたすけられて政治《せいじ》をおこないました。藤原仲麻呂《ふじわらのなかまろ》は光明皇太后《こうみょうこうたいごう》のための役所《やくしょ》の長官《ちょうかん》になり、自分《じぶん》に関係《かんけい》のふかい天皇《てんのう》の一族《いちぞく》の大炊王《おおいおう》(淳仁天皇《じゅんにんてんのう》)を皇太子《こうたいし》につけて、権力《けんりょく》をにぎります。淳仁天皇《じゅんにんてんのう》が即位《そくい》しましたが、孝謙天皇《こうけんてんのう》が力《ちから》をうばいかえします。かわって僧《そう》の道鏡《どうきょう》が、朝廷《ちょうてい》での権力《けんりょく》をにぎりました。高《たか》い位《くらい》についた道鏡《どうきょう》は、天皇《てんのう》になろうと考《かんが》えますが、貴族《きぞく》たちの反対《はんたい》にあって、はたせませんでした。

孝謙天皇《こうけんてんのう》と藤原仲麻呂《ふじわらのなかまろ》

七四九年《ねん》、聖武天皇《しょうむてんのう》は位《くらい》をゆずって太上天皇《だいじょうてんのう》となり、むすめの阿倍内親王《あべのないしんのう》が孝謙天皇《こうけんてんのう》となりました。
この孝謙天皇《こうけんてんのう》をささえたのは、聖武太上天皇《しょうむだいじょうてんのう》の皇后《こうごう》である光明皇太后《こうみょうこうたいごう》でした。
天皇《てんのう》になられたばかりでなにかとおこまりでしょう しかしご心配《しんぱい》にはおよびません
藤原仲麻呂《ふじわらのなかまろ》
天皇《てんのう》をおたすけする新《あたら》しい役所《やくしょ》をつくらせることにしました

おおっ
仲麻呂《なかまろ》のいうことをきいていればすべてうまくいきますよ

皇太后《こうたいごう》は紫微中台《しびちゅうだい》という役所《やくしょ》をつくり、その長官《ちょうかん》に、自分《じぶん》のおいである藤原仲麻呂《ふじわらのなかまろ》をつけ、天皇《てんのう》の政治《せいじ》をたすけさせました。
七五六年《ねん》、聖武太上天皇《しょうむだいじょうてんのう》がなくなり、遺言《ゆいごん》によって、天武天皇《てんむてんのう》の血《ち》をひく道祖王《ふなどおう》が皇太子《こうたいし》となりました。

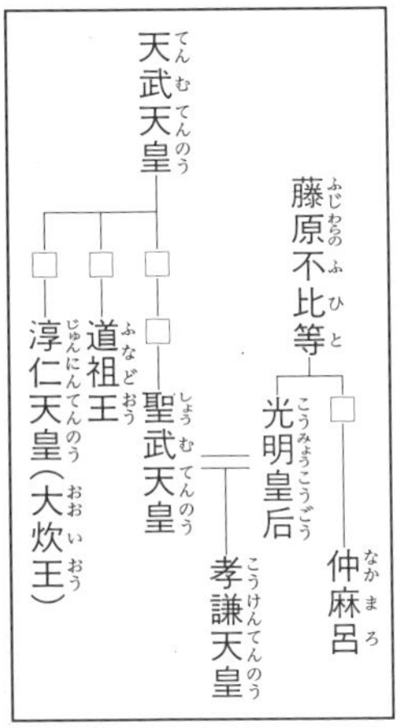

＊大炊王《おおいおう》（のちの淳仁天皇《じゅんにんてんのう》）は、藤原仲麻呂《ふじわらのなかまろ》のなくなった長男《ちょうなん》真従《まより》の妻《つま》と結婚《けっこん》し、仲麻呂《なかまろ》の義理《ぎり》のむすことして、仲麻呂《なかまろ》のやしきにすんでいました。

橘《たちばなの》奈良《なら》麻呂《まろ》の変《へん》

仲麻呂《なかまろ》め
朝廷《ちょうてい》を
わがものに
するつもり
だろうが
そうは
させんぞ！
橘《たちばなの》奈良麻呂《ならまろ》
手《て》はずは
すべて
ととのった
よしっ
いよいよ
仲麻呂《なかまろ》を
うつときが
きたぞ！
藤原仲麻呂《ふじわらのなかまろ》と橘奈《たちばなのな》良麻呂《らまろ》の関係図《かんけいず》
藤原不比等《ふじわらのふひと》―武智麻呂《むちまろ》―仲麻呂《なかまろ》
聖武天皇《しょうむてんのう》
光明皇后《こうみょうこうごう》
孝謙天皇《こうけんてんのう》
県犬養橘三千代《あがたのいぬかいのたちばなのみちよ》―橘諸兄《たちばなのもろえ》―奈良麻呂《ならまろ》
七五七年《ねん》、橘《たちばなの》奈良麻呂《ならまろ》が兵《へい》をあげました。
これを知《し》った藤原仲麻《ふじわらのなかま》呂《ろ》は、いちはやく兵《へい》をさしむけ、奈良麻呂《ならまろ》らをうちました。

七五八年《ねん》、孝謙天皇《こうけんてんのう》は大《おお》炊王《いおう》に位《くらい》をゆずりました。淳仁天皇《じゅんにんてんのう》の誕生《たんじょう》です。
その後《ご》、*仲麻呂《なかまろ》は淳《じゅん》仁天皇《にんてんのう》のもとでどんどん出世《しゅっせ》して、*太政《だいじょう》大臣《だいじん》となりました。
これでわしも天皇家《てんのうけ》の親戚《しんせき》 よーし やるぞーっ!
七六〇年《ねん》、光明皇太后《こうみょうこうたいごう》がなくなると、淳仁天皇《じゅんにんてんのう》と孝謙太上天皇《こうけんだいじょうてんのう》が争《あらそ》うようになりました。
孝謙太上天皇《こうけんだいじょうてんのう》がご病気《びょうき》になった
なんでも道鏡《どうきょう》とかいう僧《そう》が太上天皇《だいじょうてんのう》の看病《かんびょう》にあたっているとか…
僧《そう》のくせに太上天皇《だいじょうてんのう》のおぼえがよろしいらしい
ああ…

***藤原仲麻呂《ふじわらのなかまろ》**は淳仁天皇《じゅんにんてんのう》の即位後《そくいご》、恵美押勝《えみのおしかつ》と名《な》のりました。

***太政大臣《だいじょうだいじん》**とは太政官《だいじょうかん》の長官《ちょうかん》のことで、最高《さいこう》の権力《けんりょく》をもった大臣《だいじん》です。

権力《けんりょく》をもつ僧《そう》・道鏡《どうきょう》

こうして孝謙太上天皇《こうけんだいじょうてんのう》の信頼《しんらい》をえた道鏡《どうきょう》は、朝廷《ちょうてい》で大《おお》きな力《ちから》をもつようになりました。
近《ちか》ごろごきげんがよろしいようで…
淳仁天皇《じゅんにんてんのう》
これも道鏡《どうきょう》どののおかげじゃ
しかし道鏡《どうきょう》はたんなる祈禱僧《きとうそう》あまりお近《ちか》づけにならないほうがよろしいかと…
なにをいうのです!
…もうさがるがよい!
おこった太上天皇《だいじょうてんのう》は、淳《じゅん》仁天皇《にんてんのう》をはげしく非難《ひなん》するとともに、政治《せいじ》の実権《じっけん》をうばってしまいました。
太上天皇《だいじょうてんのう》は、天皇《てんのう》や藤原仲麻呂《ふじわらのなかまろ》と対《たい》立《りつ》していきました。

藤原仲麻呂《ふじわらのなかまろ》の乱《らん》
……
七六四年《ねん》 藤原仲麻呂《ふじわらのなかまろ》（恵美押勝《えみのおしかつ》）の館《やかた》――
太上天皇《だいじょうてんのう》は道鏡《どうきょう》などという坊主《ぼうず》をそばに置《お》き
最近《さいきん》ではわしどころか天皇《てんのう》までないがしろにしておる！
んっ？なんだあの明《あ》かりは？

ザ
ザ
ザ
ザ
かこまれております！
太上天皇《だいじょうてんのう》の兵《へい》のようです！
くそっ 先手《せんて》をうたれたか…！
………
さっ こちらへはやく！
ドドド

あやういところをにげのびた藤原仲麻呂《ふじわらのなかまろ》は、近江《おうみ》(滋賀《しが》県《けん》)で再起《さいき》をはかりました。
わあああ
しかし、孝謙太上天皇《こうけんだいじょうてんのう》は、さらに追《お》っ手《て》の兵《へい》をさしむけ…
琵琶湖《びわこ》(滋賀県《しがけん》)のほとりで、仲麻呂《なかまろ》の軍《ぐん》を全滅《ぜんめつ》させました。
七六四年《ねん》、こうして仲麻呂《なかまろ》はうたれ、淳仁天皇《じゅんにんてんのう》は仲麻呂《なかまろ》と共謀《きょうぼう》したとして、淡路《あわじ》島《しま》(兵庫県《ひょうごけん》)にながされました。
そして孝謙太上天皇《こうけんだいじょうてんのう》は、ふたたび天皇《てんのう》の位《くらい》について、称徳天皇《しょうとくてんのう》となりました。
その後《ご》、称徳天皇《しょうとくてんのう》はますます道鏡《どうきょう》を重《おも》く用《もち》いて、朝廷《ちょうてい》でいちばん高《たか》い位《くらい》である太政大臣禅師《だいじょうだいじんぜんじ》にし…
さらに法王《ほうおう》という位《くらい》をあたえました。

宇佐八幡《うさはちまん》の神託《しんたく》

筑紫《つくし》（福岡県《ふくおかけん》）からまいりました阿曾麻呂《あそまろ》ともうします
じつは先《せん》だって宇佐八幡《うさはちまん》の神《かみ》さまよりおつげがございまして…
道鏡《どうきょう》さまをつぎの天皇《てんのう》にすれば天下《てんか》がおさまるとのこと…
ほう道鏡《どうきょう》を…？
たしかに道鏡《どうきょう》には地位《ちい》もそれにふさわしい力《ちから》もある…
しかしだからといって皇族《こうぞく》でもない道鏡《どうきょう》を天皇《てんのう》にできるだろうか…
およびでございましょうか？
清麻呂《きよまろ》近《ちこ》うよれ

清麻呂《きよまろ》 神《かみ》の真意《しんい》をたしかめてはくれぬか？
わかりました それでは宇佐神宮《うさじんぐう》（大分県《おおいたけん》）にまいりましょう
称徳天皇《しょうとくてんのう》は、和気清麻呂《わけのきよまろ》に宇佐八幡《うさはちまん》の神託《しんたく》をたしかめさせることにしました。
ドカカッ
ドカカッ
ドカカッ
ドカカッ
ドカカカッ

わしには神《かみ》のお心《こころ》がわかる！
よいな神《かみ》のおつげくれぐれもききちがうでないぞ！
都《みやこ》にかえってきたらほうびをやる
わかっておるな
豊前《ぶぜん》（大分県《おおいたけん》）・宇佐神宮《うさじんぐう》——

おおっ！
平城京《へいじょうきょう》・大極殿《だいごくでん》——

いかがでした?
はいっ わが国《くに》はむかしから 君主《くんしゅ》と臣下《しんか》の区別《くべつ》が はっきりしています
これをやぶって 皇族以外《こうぞくいがい》の者《もの》が 天皇《てんのう》になれば 大《おお》きなわざわいが おこるとの ご神託《しんたく》が…
…… わかりました さがりなさい
なにっ おのれ 清麻呂《きよまろ》めが!
清麻呂《きよまろ》は大隅《おおすみ》(鹿児島県《かごしまけん》)に 姉《あね》の広虫《ひろむし》は 備後《びんご》(広島県《ひろしまけん》)に ながされたそうだ
しかし 道鏡《どうきょう》どのも 欲《よく》をかいた ものだのぉ
ああ 坊主《ぼうず》のくせに 天皇《てんのう》になろうなど とうていむりに きまっておるわ
まったく じゃ!
あはっはっは

都《みやこ》をおわれる道鏡《どうきょう》

七七〇年《ねん》、称徳天皇《しょうとくてんのう》がなくなると、光仁天皇《こうにんてんのう》があとをつぎました。うしろだてをなくした道鏡《どうきょう》は、下野《しもつけ》(栃木県《とちぎけん》)の薬師寺《やくしじ》におわれました。

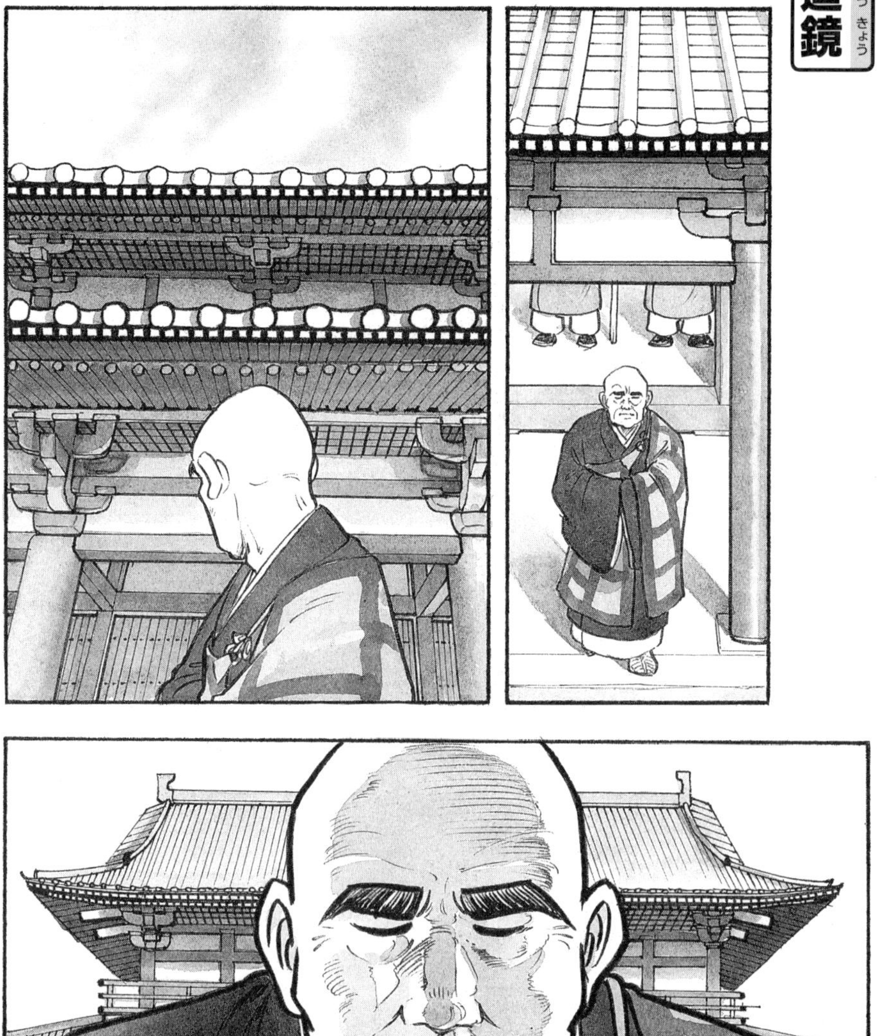

薬師寺《やくしじ》にうつって二年後《ねんご》、道鏡《どうきょう》はなくなりました。七八四年《ねん》、光仁天皇《こうにんてんのう》の子《こ》桓武《かんむ》天皇《てんのう》により、都《みやこ》がうつされ、奈良《なら》の寺《てら》や僧《そう》たちは、力《ちから》をうしなっていきました。

このころの世界《せかい》

8世紀《せいき》の世界《せかい》

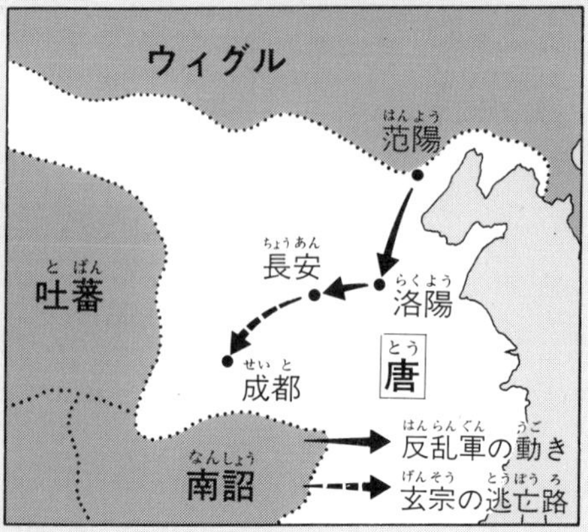
ウィグル
范陽《はんよう》
長安《ちょうあん》
吐蕃《とばん》
洛陽《らくよう》
唐《とう》
成都《せいと》
南詔《なんしょう》
反乱軍《はんらんぐん》の動《うご》き
玄宗《げんそう》の逃亡路《とうぼうろ》

玄宗皇帝《げんそうこうてい》と楊貴妃《ようきひ》　玄宗皇帝《げんそうこうてい》に愛《あい》された楊《よう》貴妃《きひ》は、歌《うた》や舞《まい》がとくいな美女《びじょ》でした。

玄宗皇帝《げんそうこうてい》のもと 唐《とう》は安定《あんてい》し文化《ぶんか》がさかえた

日本《にほん》では太安万侶《おおのやすまろ》が『古事記《こじき》』を完成《かんせい》させた七一二年《ねん》、唐《とう》の第六代《だいろく》皇帝《こうてい》に玄宗《げんそう》が即位《そくい》しました。玄宗《げんそう》は、政治《せいじ》をたてなおし、国《くに》の発展《はってん》に力《ちから》をつくしました。その結果《けっか》、李白《りはく》や杜甫《とほ》などの詩人《しじん》が活躍《かつやく》して文化《ぶんか》もさかえ、日本《にほん》から唐《とう》にわたった阿倍仲麻呂《あべのなかまろ》も玄宗《げんそう》につかえました。

しかし、玄宗《げんそう》は晩年《ばんねん》になると美女《びじょ》の楊貴妃《ようきひ》に心《こころ》をうばわれ、政治《せいじ》に不熱心《ふねっしん》になり、楊貴妃《ようきひ》の親戚《しんせき》にあたる楊国忠《ようこくちゅう》に政治《せいじ》をまかせたため、国《くに》がみだれました。

安史《あんし》の乱《らん》はおさまるが 唐王朝《とうおうちょう》の力《ちから》はおとろえた

七五五年《ねん》、北方《ほっぽう》の范陽《はんよう》でまもりにあたっていた安禄山《あんろくざん》が、部下《ぶか》の史思明《ししめい》とともに反乱《はんらん》をおこしました。玄宗《げんそう》は唐《とう》の長安《ちょうあん》から西《にし》にのがれましたが、そのとちゅう、愛《あい》する楊貴妃《ようきひ》は殺《ころ》されました。

いっぽう、反乱《はんらん》をおこした安禄山《あんろくざん》は、みずから皇帝《こうてい》となりましたが、まもなく子《こ》に殺《ころ》され、史思明《ししめい》も子《こ》に殺《ころ》され、反乱軍側《はんらんぐんがわ》は混乱《こんらん》しました。日本《にほん》で藤原仲麻呂《ふじわらのなかまろ》が道鏡《どうきょう》と対立《たいりつ》し、反乱《はんらん》をおこしたころ、この安史《あんし》の乱《らん》はおわりました。

こうしたなかで、モンゴル高原《こうげん》で活躍《かつやく》していたウイグル人《じん》のたすけをうけた唐王朝《とうおうちょう》は、七六三年《ねん》に反乱《はんらん》をしずめることに成功《せいこう》しました。

しかし、この八年《ねん》におよぶ反乱《はんらん》により、唐王朝《とうおうちょう》の力《ちから》はおとろえ、律令《りつりょう》政治《せいじ》もくずれて、民衆《みんしゅう》の生活《せいかつ》はますますくるしくなっていきました。

第7章

『古《こ》事《じ》記《き》』と『万《まん》葉《よう》集《しゅう》』

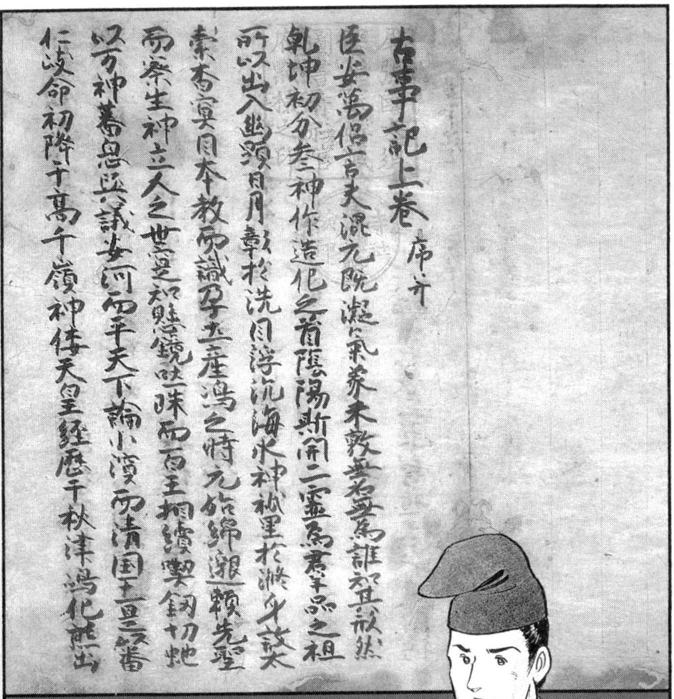

古事記上巻 序并
臣安萬侶言夫混元既凝氣象未效無名無爲誰知其形然
乾坤初分參神作造化之首陰陽斯開二靈爲群品之祖
所以出入幽顯日月彰於洗目浮沈海水神祇呈於滌身故太
素杳冥因本教而識孕土産嶋之時元始綿邈頼先聖
而察生神立人之世寔知懸鏡吐珠而百王相續喫劍切蛇
以萬神蕃息與議安河而平天下論小濱而清國土是以番
仁岐命初降于高千嶺神倭天皇經歷于秋津嶋化熊出

『古事記《こじき》』真福寺本《しんぷくじぼん》
大須観音宝生院《おおすかんのんほうしょういん》

奈良時代《ならじだい》には、さまざまな書《しょ》物《もつ》がつくられました。『古事記《こじき》』と『日本書紀《にほんしょき》』は、現在《げんざい》のこるもっともふるい歴史書《れきししょ》です。さらに国《くに》ごとの自然《しぜん》のようすや特《とく》産物《さんぶつ》、いいつたえをしるした、『風土記《ふどき》』がまとめられました。

また、日本《にほん》ではじめての歌集《かしゅう》である『万葉集《まんようしゅう》』もつくられました。そのなかには、天皇《てんのう》や貴《き》族《ぞく》たちのほか、農民《のうみん》や防人《さきもり》などの歌《うた》がおさめられています。

この時代《じだい》、唐《とう》の文化《ぶんか》をとりいれた「天平文化《てんぴょうぶんか》」がさかえ、唐《とう》風《ふう》の寺《てら》が数多《かずおお》く建《た》てられました。

太安万侶《おおのやすまろ》と『古事記《こじき》』

「大宝律令《たいほうりつりょう》」も ととのい 奈良《なら》の都《みやこ》づくりが すすみ
わが天皇家《てんのうけ》を 中心《ちゅうしん》とする 国《くに》の発展《はってん》と ともに
七一一年《ねん》、元明天皇《げんめいてんのう》は 太安万侶《おおのやすまろ》に『古事記《こじき》』の 編集《へんしゅう》を命《めい》じました。
人《ひと》びとの 国《くに》にたいする 関心《かんしん》が高《たか》まって おります
天皇《てんのう》と朝廷《ちょうてい》が この日本《にほん》の国《くに》を 支配《しはい》するすがたを 明《あき》らかにしたい ものです
安万侶《やすまろ》 天武天皇《てんむてんのう》の命《めい》により つくりはじめた歴史書《れきししょ》を 完成《かんせい》させるのです
はい わかりました
太安万侶《おおのやすまろ》

『古事記《こじき》』は、六世紀《せいき》前半《ぜんはん》から伝《つた》えられた皇室《こうしつ》の記録《きろく》『帝紀《ていき》』や『旧辞《きゅうじ》』をはじめ、氏族《しぞく》や各地《かくち》のいいつたえを記憶《きおく》していた稗田阿礼《ひえだのあれ》にかたらせ、太安万侶《おおのやすまろ》が書《か》きまとめたものです。
それではわが日本《にほん》の国《くに》がうまれた話《はなし》をしましょう
はいっ
天地《てんち》のはじめまだ大地《だいち》が水《みず》にういた油《あぶら》のようにただよっていたころ
天《てん》の神《かみ》さまがイザナギイザナミという男女《だんじょ》の神《かみ》さまに
ただよう大地《だいち》をつくりかためよといって…
玉《たま》かざりのある鉾《ほこ》をわたしました
ふたりの神《かみ》さまがにじのうき橋《はし》にたって鉾《ほこ》で地《ち》をかきまわすと…

鉾《ほこ》のさきから落《お》ちたしずくがたまってオノゴロ島《しま》ができました
なーるほど！
長《なが》らくかかりました＊『古事記《こじき》』が完成《かんせい》いたしました
おおっできましたか！
天地《てんち》のはじまり日本《にほん》の国《くに》うみから神武天皇《じんむてんのう》の東遷《とうせん》など神話《しんわ》や古《ふる》くからのいいつたえから…推古天皇《すいこてんのう》までの天皇《てんのう》を中心《ちゅうしん》とした歴史《れきし》をまとめ三巻《かん》といたしました
うむ！よくやった
これでわが国《くに》のなりたちがはっきりとした！

＊『古事記《こじき》』は、七一二（和銅《わどう》五）年《ねん》に完成《かんせい》しました。

『風土記《ふどき》』づくり

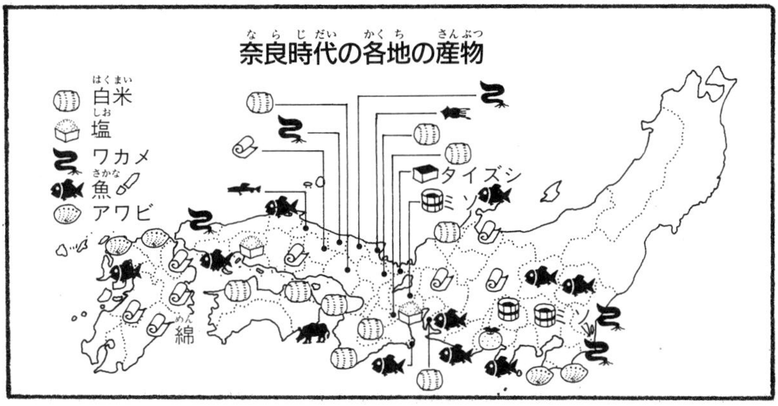
奈良時代《ならじだい》の各地《かくち》の産物《さんぶつ》
白米《はくまい》
塩《しお》
ワカメ
魚《さかな》
アワビ
タイズシ
ミソ
ミソ
綿《めん》

『古事記《こじき》』が完成《かんせい》した翌年《よくねん》の七一三年《ねん》、朝廷《ちょうてい》は国《くに》ぐにに命《めい》じて郷土《きょうど》の産物《さんぶつ》、山《やま》や川《かわ》など地名《ちめい》の由来《ゆらい》、地方《ちほう》にのこるいいつたえなどをまとめるよう命《めい》じました。
これが『風土記《ふどき》』です
ヤツカミズオミツノノミコトという神《かみ》さまが出雲《いずも》（島根県《しまねけん》）を見《み》わたしていいました

＊現存《げんぞん》する『風土記《ふどき》』は、出雲《いずも》（島根県《しまねけん》）、常陸《ひたち》（茨城県《いばらきけん》）、播磨《はりま》（兵庫県《ひょうごけん》）、豊後《ぶんご》（大分県《おおいたけん》）、肥前《ひぜん》（長崎県《ながさきけん》）の五《いつ》つです。

八雲《やくも》たつ出雲《いずも》の国《くに》はせまいなぁ
もう少《すこ》しつくりたそう
そこで朝鮮半島《ちょうせんはんとう》の海岸《かいがん》を見《み》ると国《くに》があまっていました
たいらで幅《はば》の広《ひろ》いすきをとってつきたて
三本《ぼん》のつるをよりあわせてむすびつけ
ぐい〜〜
ぐい〜〜…
国《くに》よこい国《くに》よこーいとひきよせてぬいつけたのが杵築《きづき》の岬《みさき》です
杵築《きづき》の岬《みさき》
宍道湖《しんじこ》
出雲大社《いずもたいしゃ》
出雲国《いずものくに》（島根県《しまねけん》）
ほほう…

『日本書紀《にほんしょき》』の完成《かんせい》
七二〇年《ねん》、舎人親王《とねりしんのう》を中心《ちゅうしん》とする朝廷《ちょうてい》の学者《がくしゃ》によって、『日本書紀《にほんしょき》』が完成《かんせい》しました。
神《かみ》がみの時代《じだい》から持統天皇《じとうてんのう》までの神話《しんわ》やいいつたえをまとめた歴史《れきし》です
これで天皇《てんのう》ごとにいままでの日本《にほん》のあゆみがよくわかります
元正天皇《げんしょうてんのう》
日本《にほん》の国《くに》は天皇《てんのう》を中心《ちゅうしん》としてこれからもすえ長《なが》くさかえるでしょう
日本書紀
巻第一
巻第三
日本書紀巻第一
神代上
仁徳天皇《にんとくてんのう》の四年《ねん》二月六日《がつむいか》天皇《てんのう》は群臣《ぐんしん》に詔《みことのり》して…

高殿《たかどの》にのぼって
はるかにながめると
人家《じんか》のけむりが
見《み》られない
これは
人《ひと》びとが
まずしくて
きょう
たくコメもなく
かまどに火《ひ》を
いれる物《もの》が
ないからだ…
今後《こんご》三年間《ねんかん》
すべての税《ぜい》をやめて
人《ひと》びとのくるしみを
やわらげよう
『古事記《こじき》』や『日本書紀《にほんしょき》』は、かならずしも日本《にほん》の歴史《れきし》の事実《じじつ》だけをつたえているわけではありません。しかし、当時《とうじ》の人《ひと》びとの考《かんが》えや生活《せいかつ》のようすを知るうえでは、貴重《きちょう》な史料《しりょう》といえます。

『万葉集《まんようしゅう》』の歌《うた》
七二四年《ねん》、首皇子《おびとおうじ》は即位《そくい》して聖武天皇《しょうむてんのう》となりました。この年《とし》の一〇月《がつ》、天《てん》皇《のう》は紀伊《きい》(和歌山県《わかやまけん》)の若《わか》の浦《うら》(いまの旧和歌《きゅうわか》の浦《うら》)にでかけました。
このとき山部赤人《やまべのあかひと》は、宮廷《きゅうてい》の歌人《かじん》として天皇《てんのう》のおともをしました。
ちゃぷ
ちゃぷ

赤人《あかひと》
歌《うた》はできたか？
はいっ
若《わか》の浦《うら》に　潮満《しおみ》ち来《く》れば　潟《かた》をなみ
葦辺《あしべ》をさして　鶴鳴《たづな》き渡《わた》る
〈訳《やく》〉若《わか》の浦《うら》に潮《しお》がみちてくると、干潟《ひがた》がなくなり、海岸《かいがん》の葦《あし》のはえているところに、鶴《つる》の群《むれ》が鳴《な》きながらとんでいくよ。
おおっ
すばらしい
歌《うた》だ！
この時代《じだい》、『万葉集《まんようしゅう》』がつくられました。
万葉集
『万葉集《まんようしゅう》』は、仁徳天皇《にんとくてんのう》から淳仁天皇《じゅんにんてんのう》の時期《じき》の歌《うた》を、四五〇〇首《しゅ》あまりおさめた、日本《にほん》でもっとも古《ふる》い歌集《かしゅう》です。

春過而夏来良之白妙能
衣乾有天之香来山
春《はる》過《す》ぎて　夏来《なつき》たるらし　白栲《しろたへ》の
衣《ころも》乾《ほ》したり　天《あま》の香具山《かぐやま》
持統天皇《じとうてんのう》
〈訳〉春《はる》がすぎ去《さ》って、夏《なつ》がやってきたにちがいない。天《あま》の香具《かぐ》山《やま》には、乙女《おとめ》たちが着《き》る禊《みそぎ》の白栲《しろたえ》の衣《ころも》がほしてある。
文字《もじ》は漢字《かんじ》の音《おん》や訓《くん》をたくみに使《つか》って、日本語《にほんご》を書《か》きあらわす「万葉仮名《まんようがな》」で書《か》かれています。

全《ぜん》二〇巻《かん》におさめられた歌《うた》は、おもに「雑歌《ぞうか》」「相聞歌《そうもんか》」「挽歌《ばんか》」などにわけられます。

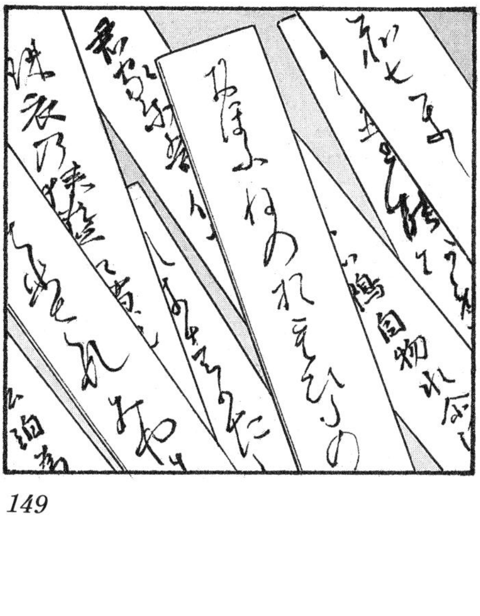

「雑歌《ぞうか》」―宮廷《きゅうてい》の儀式《ぎしき》や天皇《てんのう》の行幸《ぎょうこう》のときに歌《うた》われたもの。
あかねさす　紫野行《むらさきのゆ》き　標野行《しめのゆ》き
野守《のもり》は見《み》ずや　君《きみ》が袖振《そでふ》る
額田王《ぬかたのおおきみ》
〈訳《やく》〉紫草《むらさき》のはえた野《の》をいき、めじるしのついた御料《ごりょう》の野《の》をいって、あなたはわたしに袖《そで》をふっていらっしゃる。野《の》の番人《ばんにん》が、見《み》とがめはしないかしら。

「相聞歌《そうもんか》」―恋《こい》の歌《うた》
笹《ささ》の葉《は》は　み山《やま》もさやに　さやげども
我《わ》れは妹《いも》思《おも》ふ　別《わか》れ来《き》ぬれば
柿本人麻呂《かきのもとのひとまろ》
〈訳《やく》〉笹《ささ》の葉《は》は、この山《やま》にさやさやと音《おと》をたてているが、わたしはただ、わかれてきたいとしい人《ひと》を思《おも》いつめている。

「挽歌《ばんか》」―人《ひと》の死《し》をいたむ歌《うた》
いにしへの　古《ふる》き堤《つつみ》は　年深《としふか》み
池《いけ》の渚《なぎさ》に　水草《みくさ》生《お》ひにけり
山部赤人《やまべのあかひと》
〈訳《やく》〉むかし、この屋敷《やしき》の主《あるじ》の生《い》きているころに見《み》た池《いけ》の堤《つつみ》は、いまは古《ふる》くなって主《あるじ》の散歩《さんぽ》をみることはない。池《いけ》の渚《なぎさ》には水草《みずくさ》がはえて、あれしげっている。

『万葉集《まんようしゅう》』には、天皇《てんのう》や貴族《きぞく》はもとより、防人《さきもり》にいった地方《ちほう》のまずしい農民《のうみん》など、無名《むめい》の人《ひと》たちの歌《うた》もおさめられています。
天武《てんむ》天皇《てんのう》
天智《てんじ》天皇《てんのう》
額田王《ぬかたのおおきみ》
農民《のうみん》
防人《さきもり》
柿本人《かきのもとのひと》麻呂《まろ》

奈良《なら》時代《じだい》、中央《ちゅうおう》の宮廷貴族《きゅうていきぞく》を中《ちゅう》心《しん》に、唐《とう》の文化《ぶんか》をとりいれた、はなやかな文化《ぶんか》がうまれました。これを「天平文化《てんぴょうぶんか》」といいます。
この時代《じだい》、遣唐使船《けんとうしせん》によって唐《とう》の進《すす》んだ文化《ぶんか》がはいってきました。これらは、正倉院宝物《しょうそういんほうもつ》によって知《し》ることができます。
また、天皇《てんのう》や国《くに》に保護《ほご》された仏教《ぶっきょう》の影響《えいきょう》をうけて、多《おお》くの寺《てら》が建《た》てられ、仏《ぶつ》像《ぞう》がつくられました。

日本史《にほんし》 おもしろ資料館《しりょうかん》

春日大社《かすがたいしゃ》の舞楽《ぶがく》
奈良県《ならけん》

奈良時代《ならじだい》

奈良時代《ならじだい》の庶民《しょみん》のくらし

まじないを信《しん》じる人《ひと》たち

古代《こだい》の人《ひと》びとは、自分《じぶん》の身《み》についたケガレやツミをはらったり、願《ねが》いをかなえるため、また人《ひと》をのろうためにまじないをしました。現代《げんだい》のように科学《かがく》が発達《はったつ》していなかった当時《とうじ》は、病気《びょうき》や天災《てんさい》は神仏《しんぶつ》のたたりやツミ、ケガレのためにおきると考《かんが》えたのです。平城京《へいじょうきょう》あとからは、多《おお》くのまじないの道具《どうぐ》が出土《しゅつど》します。

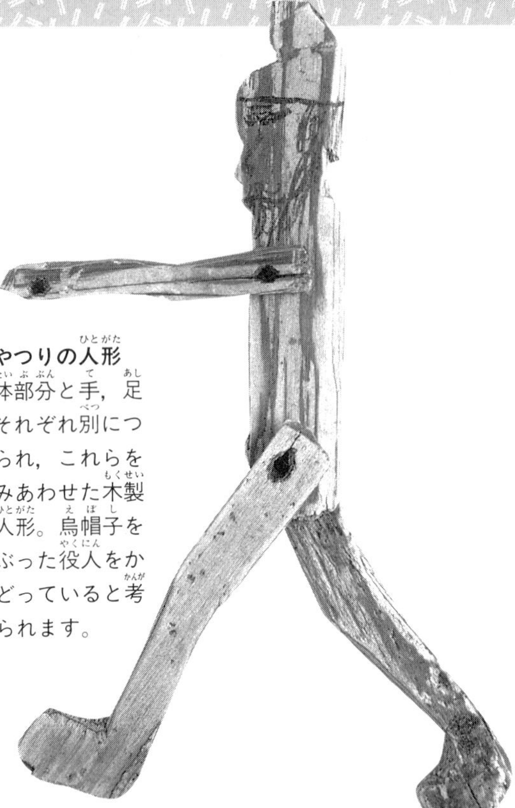

あやつりの人形《ひとがた》
胴体部分《どうたいぶぶん》と手《て》，足《あし》がそれぞれ別《べつ》につくられ，これらをくみあわせた木製《もくせい》の人形《ひとがた》。烏帽子《えぼし》をかぶった役人《やくにん》をかたどっていると考《かんが》えられます。

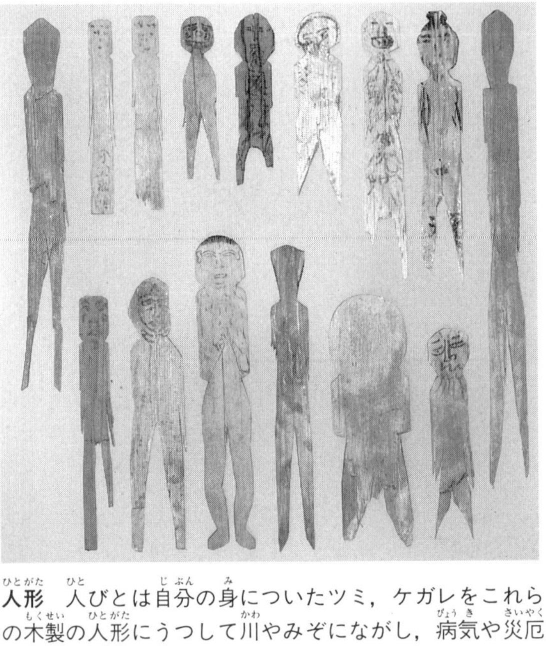

人形《ひとがた》 人《ひと》びとは自分《じぶん》の身《み》についたツミ，ケガレをこれらの木製《もくせい》の人形《ひとがた》にうつして川《かわ》やみぞにながし，病気《びょうき》や災厄《さいやく》をはらおうとしました。

祭祀用《さいしよう》のかまどのミニチュア(模型《もけい》)　神《かみ》さまにそなえるための祭器《さいき》で，実物《じつぶつ》の数分《すうぶん》の一《いち》の大《おお》きさにつくられた小《ちい》さなかまどです。

▲**人面墨書土器《じんめんぼくしょどき》**　流行病《りゅうこうびょう》へのおそれからつぼに息《いき》をふきこみ，ケガレをふうじこめたうえで，平城宮《へいじょうきゅう》の外濠《そとぼり》にながしました。

▼**土馬《どば》**　生《い》きた馬《うま》の身《み》がわりとして神《かみ》にささげたもので，井戸《いど》や川《かわ》のなかから多《おお》くみつかっています。

発掘《はっくつ》された長屋王邸《ながやおうてい》

発掘中《はっくつちゅう》の長屋王邸宅跡《ながやおうていたくあと》　長屋王《ながやおう》のやしきは平城宮《へいじょうきゅう》のすぐ東南《とうなん》に接《せっ》し，平城京《へいじょうきょう》の超一等地《ちょういっとうち》にありました。

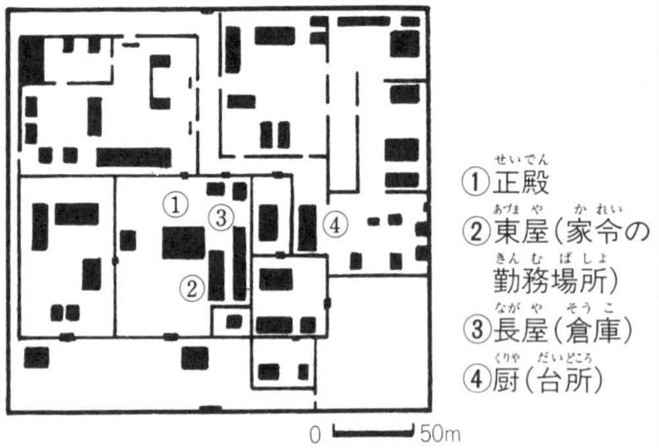
①
②
③
④
①正殿《せいでん》
②東屋《あづまや》(家令《かれい》の勤務場所《きんむばしょ》)
③長屋《ながや》(倉庫《そうこ》)
④厨《くりや》(台所《だいどころ》)
0 50m

長屋王邸《ながやおうてい》の広《ひろ》さ　長屋王邸《ながやおうてい》は居住《きょじゅう》する空間《くうかん》のほか，政治《せいじ》・儀式《ぎしき》をおこなう場《ば》などをふくめて約《やく》6万平方《まんへいほう》メートル。東京《とうきょう》ドームの1.3倍《ばい》の広《ひろ》さでした。

貴族《きぞく》の食事《しょくじ》　貴族《きぞく》の食事《しょくじ》は一汁一菜《いちじゅういっさい》の庶民《しょみん》とちがい，主食《しゅしょく》はコメのごはんで，汁物《しるもの》，あえ物《もの》，菓子《かし》，調味《ちょうみ》料《りょう》などが6～7種類《しゅるい》もならびました。

超《ちょう》一《いち》流《りゅう》貴《き》族《ぞく》のくらし

長屋王邸《ながやおうてい》の発掘《はっくつ》によって、当時《とうじ》の貴族《きぞく》のくらしをしのばせる多《おお》くの木簡《もっかん》が出土《しゅつど》しました。それを読《よ》むと、全国《ぜんこく》からコメ・麦《むぎ》・タイ・アワビ・ワカメ・塩《しお》・牛乳《ぎゅうにゅう》などがやしきにはこびこまれ、食卓《しょくたく》にならんだことがわかります。やしきにはイヌやツルがかわれていました。長屋王《ながやおう》の豪《ごう》華《か》なくらしがうかがわれます。

長屋王邸《ながやおうてい》の復元模型《ふくげんもけい》　やしき内《ない》には，いくつものりっぱな建物《たてもの》があったようです。

長屋王邸室内《ながやおうていしつない》の復元《ふくげん》　室内《しつない》の調度類《ちょうどるい》，衣類《いるい》，食器《しょっき》などは，やしき内《ない》のおかかえ技術者《ぎじゅつしゃ》によってつくられました。

大和朝廷《やまとちょうてい》はどうやって地方《ちほう》をおさめたか

地《ち》方《ほう》をおさめるしくみ

朝廷《ちょうてい》は全国《ぜんこく》を六〇あまりの国《くに》にわけて国府《こくふ》を置《お》き、中央《ちゅうおう》から国司《こくし》を派遣《はけん》して地《ち》方支配《ほうしはい》を進《すす》めました。さらに都《みやこ》を中心《ちゅうしん》とする地域《ちいき》を畿内《きない》とし、それ以外《いがい》の諸国《しょこく》を七つの道《どう》に区分《くぶん》しました。多賀城《たがじょう》には外《がい》敵《てき》に対抗《たいこう》する軍事拠点《ぐんじきょてん》としての役《やく》わりもありました。九州《きゅうしゅう》の大宰府《だざいふ》には国《くに》をまもる防人《さきもり》が置《お》かれ、また外交《がいこう》も担当《たんとう》しました。

多賀城政庁《たがじょうせいちょう》の復元模型《ふくげんもけい》　政庁《せいちょう》は東西《とうざい》103 m，南北《なんぼく》116 mで，主要《しゅよう》な建物《たてもの》にはかわらがふかれていました。

漆紙文書《うるしがみもんじょ》　多賀城跡《たがじょうあと》でみつかった漆紙文書《うるしがみもんじょ》には，「計《けい》帳《ちょう》」とよばれる帳簿《ちょうぼ》のほかに暦《こよみ》，コメなどの請求書《せいきゅうしょ》，武器《ぶき》のおくり状《じょう》などがあります。

大宰府政庁《だざいふせいちょう》の屋《や》根《ね》にあった鬼《おに》がわら　かわらぶきの建物《たてもの》にすえられたかざり。奈良時代《ならじだい》に全国《ぜんこく》にひろまりました。

伯耆国《ほうきのくに》(取鳥県《とっとりけん》)政庁《せいちょう》の復元《ふくげん》模型《もけい》　中央《ちゅうおう》にある正殿《せいでん》・前殿《ぜんでん》と左右《さゆう》の脇殿《わきでん》からなり，へいとみぞでかこまれていました。

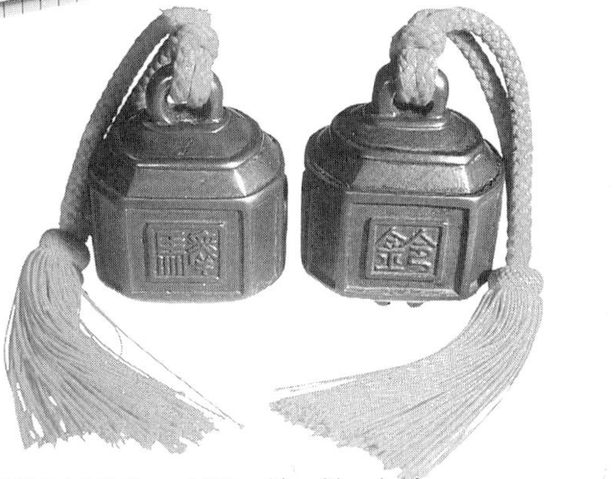

隠岐国《おきのくに》(島根県《しまねけん》)の駅鈴《えきれい》　駅《えき》で馬《うま》を使用《しよう》するには，駅鈴《えきれい》と伝符《でんぷ》(利用《りよう》資格証明書《しかくしょうめいしょ》)がひつようでした。

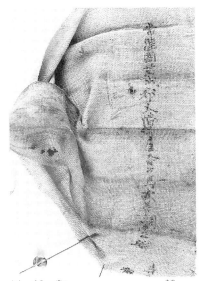

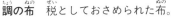

調《ちょう》の布《ぬの》　税《ぜい》としておさめられた布《ぬの》。

地方《ちほう》にあった倉庫《そうこ》の復元《ふくげん》　ここには農民《のうみん》から集《あつ》められた租税《そぜい》がおさめられていました。

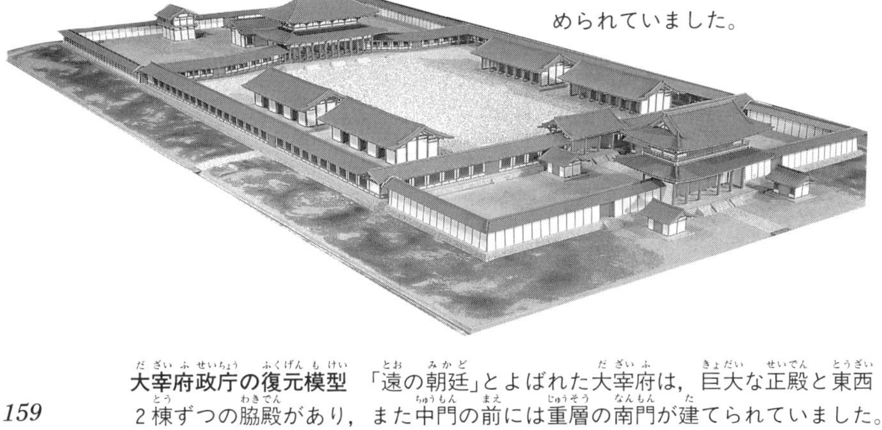

大宰府《だざいふ》政庁《せいちょう》の復元《ふくげん》模型《もけい》　「遠《とお》の朝廷《みかど》」とよばれた大宰府《だざいふ》は，巨大《きょだい》な正殿《せいでん》と東西《とうざい》2棟《とう》ずつの脇殿《わきでん》があり，また中門《ちゅうもん》の前《まえ》には重層《じゅうそう》の南門《なんもん》が建《た》てられていました。

日《に》本《ほん》史《し》ものしり相《そう》談《だん》室《しつ》

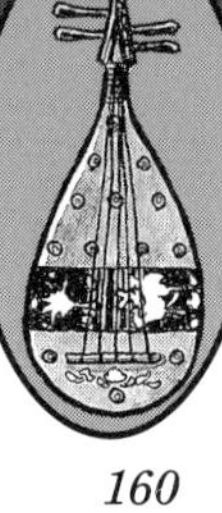

奈《な》良《ら》時《じ》代《だい》の学《がっ》校《こう》は、どんなところ?

都《みやこ》には、貴《き》族《ぞく》や史《ふひと》部《べ》（文《ぶん》筆《ぴつ》を職《しょく》務《む》とする役《やく》人《にん》）の子《こ》どもが入《にゅう》学《がく》する「大《だい》学《がく》」があり、地《ち》方《ほう》には国《くに》ごとに「国《こく》学《がく》」が置《お》かれ、郡《ぐん》司《じ》の子《こ》どもがかよっていました。学《がく》業《ぎょう》をおえると試《し》験《けん》をうけ、合《ごう》格《かく》すれば役《やく》人《にん》になる道《みち》がひらけました。役《やく》人《にん》をそだてるための学《がっ》校《こう》なので、現《げん》在《ざい》のように、みんなが進《しん》学《がく》したわけではありませんでした。

当《とう》時《じ》の人《ひと》は、死《し》ぬとどのように埋《まい》葬《そう》されたのですか?

現《げん》代《だい》では火《か》葬《そう》が一《いっ》般《ぱん》的《てき》ですが、これは仏《ぶっ》教《きょう》の影《えい》響《きょう》で、この時《じ》代《だい》にはじまったことです。歴《れき》史《し》書《しょ》によれば最《さい》初《しょ》に火《か》葬《そう》されたのは、僧《そう》の道《どう》昭《しょう》（七〇〇年《ねん》没《ぼつ》）です。天《てん》皇《のう》で最《さい》初《しょ》に火《か》葬《そう》されたのは、持《じ》統《とう》太《だい》上《じょう》天《てん》皇《のう》（七〇二年《ねん》没《ぼつ》）です。檜《ひの》隈《くま》大《おお》内《うち》陵《りょう》の内《ない》部《ぶ》には、火《か》葬《そう》されずに棺《ひつぎ》におさめられた天《てん》武《む》天《てん》皇《のう》と、火《か》葬《そう》後《ご》、骨《こつ》壺《つぼ》におさめられた持《じ》統《とう》太《だい》上《じょう》天《てん》皇《のう》がならんでねむっています。

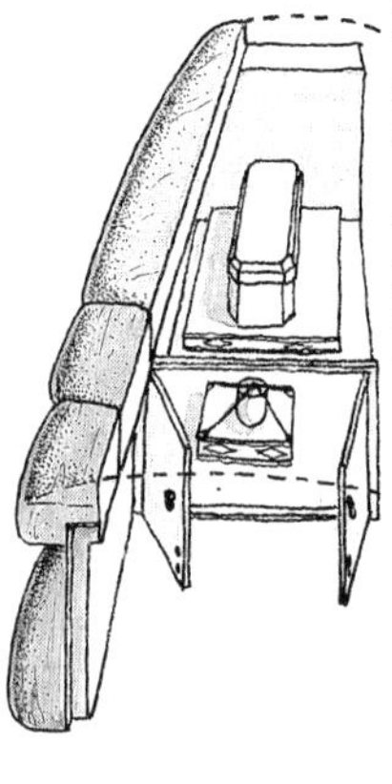

このころの美《び》女《じょ》は、どんなタイプの人《ひと》でしたか?

当《とう》時《じ》の絵《かい》画《が》や仏《ぶつ》像《ぞう》を見《み》ると、女《じょ》性《せい》は顔《かお》は下《しも》ぶくれでからだもふくよかな方《ほう》が美《うつく》しいとされていたようです。ただし太《ふと》っている方《ほう》がよいとされたのは、中《ちゅう》国《ごく》の隋《ずい》、唐《とう》以《い》降《こう》の影《えい》響《きょう》で、それ以《い》前《ぜん》は法《ほう》隆《りゅう》寺《じ》の百《く》済《だら》観《かん》音《のん》像《ぞう》のように、やせている方《ほう》が美《び》人《じん》でした。女《じょ》性《せい》の美《び》人《じん》の基《き》準《じゅん》は、時《じ》代《だい》とともに変《へん》化《か》しているようです。

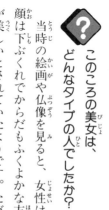

この時代《じだい》は、どうして女性《じょせい》の天皇《てんのう》が多《おお》いのでしょう?

古代《こだい》では、まだ皇位《こうい》が父《ちち》から子《こ》へうけつがれるきまりはなく、兄《あに》から弟《おとうと》へ、そして長男《ちょうなん》へとうけつがれていました。天智天皇《てんじてんのう》は皇位《こうい》をめぐる争《あらそ》いや対立《たいりつ》をさけるため、皇位《こうい》は父《ちち》から子《こ》へうけつぐというきまりを定《さだ》めました。しかし皮肉《ひにく》にも、その直後《ちょくご》、天智天皇《てんじてんのう》の息子《むすこ》と弟《おとうと》の大海人皇子《おおあまのおうじ》が皇位《こうい》をめぐって争《あらそ》いました。そして、このきまりは勝利《しょうり》をおさめた大海人皇子《おおあまのおうじ》(天武天皇《てんむてんのう》)の代《だい》にはじめられました。自分《じぶん》の子《こ》どもの血統《けっとう》をまもるため、皇子《おうじ》がまだおさないときは、母《はは》や姉《あね》がなかつぎとして即《そく》位《い》し、ほかの兄弟《きょうだい》や親戚《しんせき》に皇位《こうい》をうばわれないようにしました。持統天皇《じとうてんのう》の名《な》は「血統《けっとう》を維持《いじ》する」という意味《いみ》がこめられていますが、そのために即位《そくい》した女帝《じょてい》だったことがわかります。

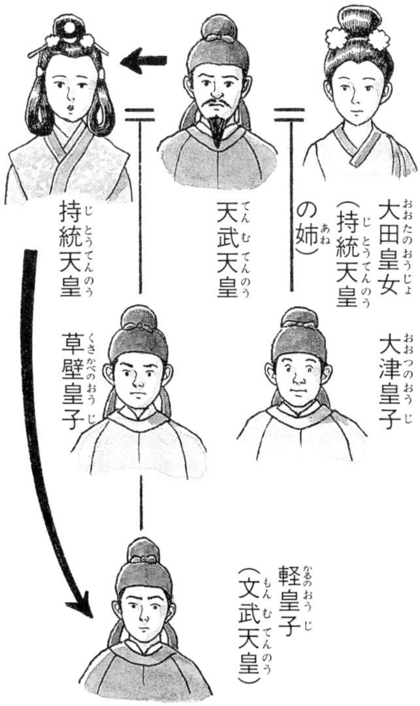

持統天皇《じとうてんのう》は，子《こ》の草壁皇子《くさかべのおうじ》の死後《しご》，まごの軽皇子《かるのおうじ》(のちの文武天皇《もんむてんのう》)に天皇《てんのう》の位《くらい》をゆずるために即位《そくい》しました。

このころのお菓子《かし》は、どんなものでしたか?

菓子《かし》といえば、多《おお》くは果物《くだもの》をさし、唐風《とうふう》のあまいおまんじゅうなどは、一《いっ》般的《ぱんてき》ではありませんでした。古代《こだい》の菓《か》子《し》で薬用《やくよう》として、用《もち》いられた有名《ゆうめい》なものに蘇《そ》や酪《らく》や醍醐《だいご》があります。いずれも牛乳《ぎゅうにゅう》を加工《かこう》したものです。醍醐《だいご》は、現代《げんだい》のチーズやコンデンスミルクのようなものでした。おいしいものを「醍醐《だいご》味《み》」というのは、ここからきています。

監修《かんしゅう》のことば

国際色《こくさいしょく》ゆたかな奈良《なら》の都《みやこ》

明治大学教授《めいじだいがくきょうじゅ》
吉村武彦《よしむらたけひこ》

七〇一年《ねん》に「大宝律令《たいほうりつりょう》」が完成《かんせい》し、日本《にほん》は名実《めいじつ》ともに、律令制国家《りつりょうせいこっか》としての道《みち》を歩《あゆ》みはじめました。この律令制国家《りつりょうせいこっか》にふさわしい都《みやこ》づくりが進《すす》められ、完成《かんせい》したのが奈良《なら》の平城京《へいじょうきょう》です。

この巻《かん》は、七一〇年《ねん》の平城京遷都《へいじょうきょうせんと》から、七八四年《ねん》の山背国《やましろのくに》(京都府《きょうとふ》)の長岡京遷都《ながおかきょうせんと》までの七五年間《ねんかん》をあつかっています。この時代《じだい》は、元明《げんめい》、元正《げんしょう》、孝謙《こうけん》、そして称徳《しょうとく》(孝謙天皇《こうけんてんのう》がふたたび即位《そくい》)の、三人《にん》の女帝《じょてい》による時代《じだい》がほぼ三〇年間《ねんかん》つづきましたが、同時《どうじ》に、飛鳥時代末《あすかじだいすえ》ごろから、文武天皇《もんむてんのう》の妻《つま》・宮子《みやこ》の父《ちち》として力《ちから》をつけてきた藤原不比等《ふじわらのふひと》や、その藤原氏一族《ふじわらしいちぞく》が、ますます活躍《かつやく》するようになった時代《じだい》でもありました。

しかし、権勢《けんせい》をほこる藤原氏《ふじわらし》も、はじめのころは、藤原武智麻呂《ふじわらのむちまろ》ら、四兄弟《きょうだい》が、疫病《えきびょう》のためにあいついでなくなり、危機《きき》におちいりました。そのとき、かわって力《ちから》をつけたのが橘諸兄《たちばなのもろえ》で、僧《そう》の玄昉《げんぼう》や吉備真備《きびのまきび》も、聖武天《しょうむてん》

復元《ふくげん》された奈良時《ならじ》
代《だい》の役人《やくにん》の食事《しょくじ》

皇《のう》にとりいって活躍《かつやく》しはじめました。九州《きゅうしゅう》では、この僧《そう》の玄昉《げんぼう》と吉備真備《きびのまきび》ふたりに反対《はんたい》する藤原広嗣《ふじわらのひろつぐ》が反乱《はんらん》をおこしましたが、鎮圧《ちんあつ》されてしまいます。このような混乱《こんらん》した社会《しゃかい》に不安《ふあん》をいだいた聖武天皇《しょうむてんのう》は、仏教《ぶっきょう》の力《ちから》で国《こっ》家《か》をまもろうと、全国《ぜんこく》に国分寺建立《こくぶんじこんりゅう》の命令《めいれい》をだしました。そのときつくられた国分寺《こくぶんじ》や国分尼寺《こくぶんにじ》は、現在《げんざい》でも、「国府《こくふ》」や「府中《ふちゅう》」という地名《ちめい》とともに、その遺構《いこう》や遺跡《いせき》が数多《かずおお》くのこされています。いっぽう、このような「鎮《ちん》護国家仏教《ごこっかぶっきょう》」とはべつに、行基《ぎょうき》のように、まずしい生活《せいかつ》にくるしむ人《ひと》びとに仏教《ぶっきょう》をひろめようとした僧《そう》もあらわれました。

奈良時代《ならじだい》は、『万葉集《まんようしゅう》』で、「あを《お》によし　奈良《なら》の都《みやこ》は　さく花《はな》の　にほ《お》ふ《う》がごとく　いまさかりなり」とうたわれたように、国際色《こくさいしょく》ゆたかな天平《てんぴょう》文化《ぶんか》がさかえた時代《じだい》でした。現在《げんざい》、平城京《へいじょうきょう》の遺跡《いせき》から発掘《はっくつ》された考古学的《こうこがくてき》資料《しりょう》から、当時《とうじ》の人《ひと》びとの生活《せいかつ》のようすが、かなり具体的《ぐたいてき》にわかるようになりました。たとえば、出土《しゅつど》した木簡《もっかん》から、日直《にっちょく》や宿直《しゅくちょく》をひんぱんにくりかえしていた下級官人《かきゅうかんじん》の生活《せいかつ》などが明《あき》らかになりました。

日本《にほん》の古代《こだい》は、仏教《ぶっきょう》をはじめ、法律《ほうりつ》や政治《せいじ》などの制度《せいど》や、それらにひつような「漢字《かんじ》」なども中国《ちゅうごく》の唐《とう》からとりいれ、学《まな》んできました。このため、奈良時代《ならじだい》の政治《せいじ》や文化《ぶんか》を理解《りかい》するには、日本《にほん》だけでなく、東《ひがし》アジア全体《ぜんたい》を見《み》すえた、国際的《こくさいてき》な視野《しや》をもつことがひつようだと思《おも》います。

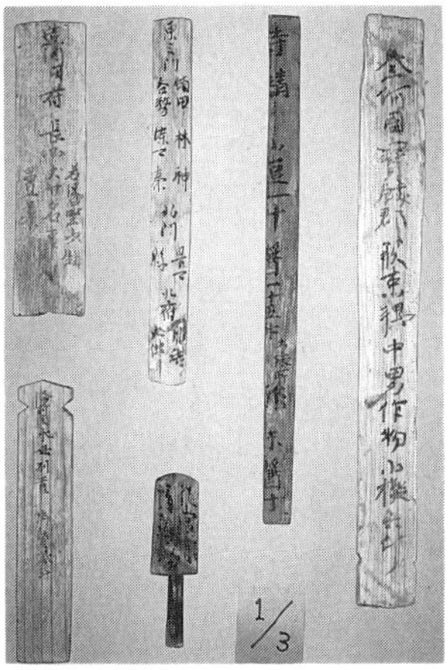

平城京跡《へいじょうきょうあと》から出土《しゅつど》した木簡《もっかん》

年表《ねんぴょう》

奈良時代《ならじだい》

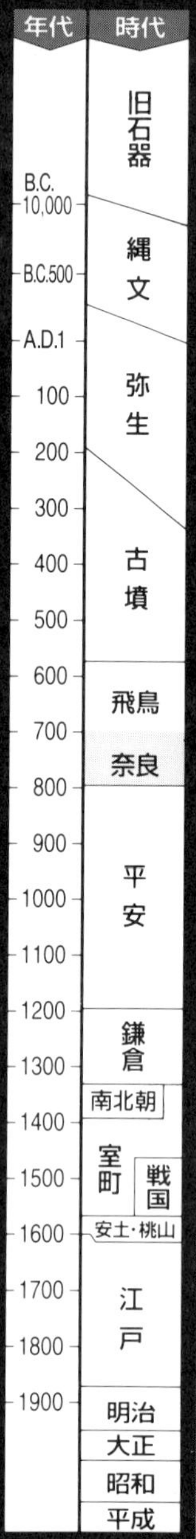

年代
時代
旧石器
B.C. 10,000
縄文
B.C.500
A.D.1
弥生
100
200
300
古墳
400
500
600
飛鳥
700
奈良
800
900
平安
1000
1100
1200
鎌倉
1300
南北朝
1400
室町
1500
戦国
1600
安土・桃山
1700
江戸
1800
1900
明治
大正
昭和
平成

時代《じだい》	西暦《せいれき》(年号《ねんごう》)	日本《にほん》のおもなできごと	世界《せかい》のできごと
飛鳥《あすか》時代《じだい》	七〇一(大宝《たいほう》元《がん》)	「大宝律令《たいほうりつりょう》」ができる。 このころ行基《ぎょうき》が、社会事業《しゃかいじぎょう》につくす。	
	七〇八(和銅《わどう》元《がん》)	和同開珎《わどうかいちん》がつくられる。	
時《じ》代《だい》	七一〇(〃三)	元明天皇《げんめいてんのう》が平城京《へいじょうきょう》に都《みやこ》をうつす。	イベリア半島《はんとう》の西《にし》ゴート王国《おうこく》がイスラム教徒《きょうと》により滅亡《めつぼう》する。(七一一)
	七一二(〃五)	太安万侶《おおのやすまろ》らによって、『古事記《こじき》』が完成《かんせい》する。	唐《とう》で玄宗皇帝《げんそうこうてい》の「開元《かいげん》の治《ち》」がはじまる。(七一三)
	七一八(養老《ようろう》二)	「養老律令《ようろうりつりょう》」がつくられる。	
	七二〇(〃四)	元正天皇《げんしょうてんのう》がつくらせた『日本書紀《にほんしょき》』が完成《かんせい》する。	
	七二三(〃七)	「三世一身《さんぜいっしん》の法《ほう》」が定《さだ》められる。	
	七二四(神亀《じんき》元《がん》)	陸奥《むつ》(東北地方《とうほくちほう》)に多賀城《たがじょう》(宮城県《みやぎけん》)がきずかれる。 聖武天皇《しょうむてんのう》が即位《そくい》する。	ビザンツ帝国《ていこく》でキリスト教《きょう》の聖像《せいぞう》禁止令《きんしれい》がでる。(七二六)
	七二七(〃四)	渤海国《ぼっかいこく》の使者《ししゃ》が日本《にほん》にやってくる。	
	七二九(天平《てんぴょう》元《がん》)	長屋王《ながやおう》の変《へん》がおこり、藤原《ふじわら》四兄弟《きょうだい》が朝廷《ちょうてい》で高《たか》い位《くらい》につく。	トゥール - ポワティエ間《かん》の戦《たたか》いでフランク王国《おうこく》のカール＝マルテルがイスラム教徒《きょうと》をやぶる。(七三二)
	七三〇(〃二)	薬師寺東塔《やくしじとうとう》ができる。	
	七三七(〃九)	藤原《ふじわら》四兄弟《きょうだい》があいついでなくなる。	このころ唐《とう》の文化《ぶんか》の全盛期《ぜんせいき》。
	七四〇(〃一二)	藤原広嗣《ふじわらのひろつぐ》の乱《らん》がおこり、聖武天皇《しょうむてんのう》が都《みやこ》をうつす。	

奈《な》良《ら》 / 平安時代《へいあんじだい》

奈《な》良《ら》	七四一(〃 一三)	国分寺《こくぶんじ》建立《こんりゅう》の詔《みことのり》がだされ、各地《かくち》に国分寺《こくぶんじ》と国分尼寺《こくぶんにじ》が建《た》てられる。
	七四三(〃 一五)	「大仏造立《だいぶつぞうりゅう》の詔《みことのり》」がだされ、「墾田永年私財法《こんでんえいねんしざいほう》」が定《さだ》められる。
	七四五(〃 一七)	東大寺大仏《とうだいじだいぶつ》の造立《ぞうりゅう》がはじまる。
	七四九(天平感宝《てんぴょうかんぽう》元《がん》 天平勝宝《てんぴょうしょうほう》元《がん》)	聖武天皇《しょうむてんのう》が太上天皇《だいじょうてんのう》となる。
	七五二(天平勝宝《てんぴょうしょうほう》四)	東大寺大仏《とうだいじだいぶつ》の開眼供養《かいげんくよう》がおこなわれる。
	七五四(〃 六)	中国《ちゅうごく》の僧鑑真《そうがんじん》が来日《らいにち》し、聖武太上天皇《しょうむだいじょうてんのう》たちに受戒《じゅかい》をする。
	七五六(〃 八)	東大寺《とうだいじ》に正倉院《しょうそういん》ができる。
	七五七(天平宝字《てんぴょうほうじ》元《がん》)	藤原仲麻呂《ふじわらのなかまろ》が「養老律令《ようろうりつりょう》」を施行《しこう》する。 橘 奈良麻呂《たちばなのならまろ》の変《へん》がおこる。
	七五九(〃 三)	鑑真《がんじん》により唐招提寺《とうしょうだいじ》が建《た》てられる。
	七六四(〃 八)	藤原仲麻呂《ふじわらのなかまろ》(恵美押勝《えみのおしかつ》)の乱《らん》がおこる。
	七六六(天平神護《てんぴょうじんご》二)	道鏡《どうきょう》が法王《ほうおう》になる。
	七六九(神護景雲《じんごけいうん》三)	和気清麻呂《わけのきよまろ》が宇佐神宮《うさじんぐう》の神託《しんたく》をつたえ、道鏡《どうきょう》の天皇即位《てんのうそくい》をふせぐ。
	七七〇(宝亀《ほうき》 元《がん》)	称徳天皇《しょうとくてんのう》がなくなり、道鏡《どうきょう》が下野《しもつけ》(栃木県《とちぎけん》)の薬師寺《やくしじ》におわれる。 このころ『万葉集《まんようしゅう》』ができる。
	七八〇(〃 一一)	蝦夷《えみし》の伊治呰麻呂《これはるのあざまろ》が反乱《はんらん》をおこし、多賀城《たがじょう》を焼《や》きはらう。
	七八一(天応《てんおう》 元《がん》)	桓武天皇《かんむてんのう》が即位《そくい》する。
	七八四(延暦《えんりゃく》 三)	桓武天皇《かんむてんのう》が長岡京《ながおかきょう》(京都府《きょうとふ》)に都《みやこ》をうつす。
	七八五(〃 四)	長岡京《ながおかきょう》で、都《みやこ》づくりの責任者《せきにんしゃ》の藤原種継《ふじわらのたねつぐ》が暗殺《あんさつ》され、早良親王《さわらしんのう》らが処《しょ》罰《ばつ》をうける。
平安時代《へいあんじだい》	七九四(〃 一三)	桓武天皇《かんむてんのう》が平安京《へいあんきょう》に都《みやこ》をうつす。

モンゴル高原《こうげん》にウイグルがおこる。（七四四）

西《にし》アジアでイスラム教徒《きょうと》の国《くに》、アッバース朝《ちょう》がおこる。（七五〇）

フランク王国《おうこく》でカロリング朝《ちょう》がおこる。（七五一）

タラス河畔《かはん》の戦《たたか》いでイスラム教徒《きょうと》の軍《ぐん》が唐軍《とうぐん》をやぶる。製紙法《せいしほう》が唐《とう》から西方《せいほう》へつたわる。（七五一）

唐《とう》で安史《あんし》の乱《らん》がおこる。（七五五～七六三）

フランク王国《おうこく》でカール大帝《たいてい》が即位《そくい》する。（七六八）

このころジャワ島《とう》に仏教《ぶっきょう》の寺院《じいん》ボロブドゥールがつくられる。

アッバース朝《ちょう》でハールーン＝アッラシードがカリフとなり、イスラム帝国《ていこく》が黄金時代《おうごんじだい》をむかえる。（七八六）

この本をつくった人

●監修　明治大学教授　吉村武彦
●シナリオ　稲垣　純
●漫画　岩井　渓
●イラスト　伊藤展安
住谷重光
和地あつを
●執筆協力　岩田一彦
飯島菜穂子
●校閲　田中芳子
●装丁・レイアウト　鈴木安男
鈴木恵未
●編集協力　㈱小林企画
豊田憲一
㈲ぱぺる舎
大西清じ
今橋美智

学習漫画　日本の歴史

4　花《はな》さく奈良《なら》の都《みやこ》

1998年3月4日　第1刷発行

監　修　吉《よし》村《むら》　武《たけ》彦《ひこ》
漫　画　岩《いわ》井《い》　渓《けい》
発行者　小島　民雄
発行所　株式会社　集英社
101-8050　東京都千代田区一ツ橋2-5-10
編集部（03）3230-6141
販売部（03）3230-6393
制作部（03）3230-6080
印刷所　共同印刷株式会社

定価はカバーに表示してあります。

ISBN4-08-239004-9 C8321　NDC210

写真提供・資料協力（五十音順・敬称略）

飛鳥園／大須観音宝生院／億岐正彦／奥村彪生／オリオンプレス／海龍王寺／九州歴史資料館／宮内庁正倉院事務所／興福寺／国立歴史民俗博物館／C.P.C.／ＪＴＢフォト／新薬師寺／世界文化フォト／東金市教育委員会／東京国立博物館／唐招提寺／東大寺／東北歴史資料館／長岡京市教育委員会／奈良国立文化財研究所／入江泰吉撮影　奈良市写真美術館／奈良市役所／日本銀行貨幣博物館／ＰＰＳ／向日市文化資料館／平出遺跡考古博物館／福島県立博物館

おもな参考文献

倉野憲司校注『古事記』岩波書店，1963年／吉田孝『古代国家の歩み』(大系日本の歴史３）小学館，1988年／町田章編『古代の宮殿と寺院』（古代史復元８）講談社，1989年／金子裕之編『古代の都と村』（古代史復元９）講談社，1989年／『週刊朝日百科　日本の歴史第２巻古代』朝日新聞社，1989年／栄原永遠男『天平の時代』（日本の歴史４）集英社，1991年／坪井清足，奈良国立文化財研究監修『平城京再現』新潮社，1985年／直木孝次郎，岩本次郎編『万葉びとの夢と祈り』（日本歴史展望２）旺文社，1981年／『詳説世界史』山川出版社，1996年／『詳説日本史』山川出版社，1996年／『世界史総合図録』山川出版社，1994年／『日本史総合図録』山川出版社，1995年

＊カバー・表紙写真（裏）
唐招提寺の経蔵(右)と宝蔵(左)／飛鳥園
＊本文扉写真
螺鈿紫檀五弦琵琶／正倉院宝物／宮内庁正倉院事務所

古代《こだい》から現代《げんだい》まで，日本史《にほんし》のながれが楽《たの》しみながら身《み》につく
わかりやすい漫画版《まんがばん》・日本《にほん》の歴史《れきし》の決定版《けっていばん》！

集英社版 学習漫画 日本の歴史 全20巻

				監修
1	日本《にほん》のはじまり	旧石器時代《きゅうせっきじだい》・縄文時代《じょうもんじだい》	文化庁 主任文化財調査官	岡村道雄
2	イネと国《くに》づくり	弥生時代《やよいじだい》・古墳時代《こふんじだい》I		〃
3	大和《やまと》政権《せいけん》と飛鳥《あすか》	古墳時代《こふんじだい》II・飛鳥時代《あすかじだい》	明治大学教授	吉村武彦
4	花《はな》さく奈良《なら》の都《みやこ》	奈良時代《ならじだい》		〃
5	さかえる平安《へいあん》の貴族《きぞく》	平安時代《へいあんじだい》I		〃
6	院政《いんせい》と武士《ぶし》の登場《とうじょう》	平安時代《へいあんじだい》II	東北大学教授	入間田宣夫
7	鎌倉幕府《かまくらばくふ》の成立《せいりつ》	鎌倉時代《かまくらじだい》		〃
8	南北朝《なんぼくちょう》の争《あらそ》い	南北朝時代《なんほくちょうじだい》・室町時代《むろまちじだい》I		〃
9	室町幕府《むろまちばくふ》と一揆《いっき》の世《よ》	室町時代《むろまちじだい》II	成蹊大学教授	池上裕子
10	戦国大名《せんごくだいみょう》の戦《たたか》い	室町時代《むろまちじだい》III・戦国時代《せんごくじだい》		〃
11	天下統一《てんかとういつ》への道《みち》	安土《あづち》・桃山時代《ももやまじだい》		〃
12	江戸幕府《えどばくふ》ひらく	江戸時代《えどじだい》I	学習院大学教授	高埜利彦
13	町人《ちょうにん》たちの世《よ》の中《なか》	江戸時代《えどじだい》II		〃
14	ゆらぐ江戸幕府《えどばくふ》	江戸時代《えどじだい》III		〃
15	明治維新《めいじいしん》と近代日本《きんだいにほん》	明治時代《めいじじだい》I	明治大学教授	海野福寿
16	日清《にっしん》・日露《にちろ》の戦《たたか》い	明治時代《めいじじだい》II		〃
17	大正《たいしょう》デモクラシー	大正時代《たいしょうじだい》	京都橘女子大学教授 京都大学名誉教授	松尾尊兊
18	アジア太平洋戦争《たいへいようせんそう》	昭和時代《しょうわじだい》I		〃
19	戦後日本《せんごにほん》のあゆみ	昭和時代《しょうわじだい》II		〃
20	新《あたら》しい国際社会《こくさいしゃかい》と日本《にほん》	昭和時代《しょうわじだい》III・平成時代《へいせいじだい》	東京大学名誉教授	木村尚三郎

正《ただ》しい時代考証《じだいこうしょう》と楽《たの》しいタッチでつづる
漫画版《まんがばん》・世界《せかい》の歴史《れきし》の決定版《けっていばん》！

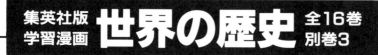

集英社版 学習漫画 世界の歴史 全16巻 別巻3

監修 東京大学名誉教授 木村尚三郎

1	文明《ぶんめい》のあけぼのとピラミッド	古代《こだい》オリエント
2	アレクサンドロス大王《だいおう》の帝国《ていこく》	古代《こだい》ギリシア・ローマ
3	始皇帝《しこうてい》と万里《ばんり》の長城《ちょうじょう》	古代《こだい》インド・中国《ちゅうごく》
4	カール大帝《たいてい》とジャンヌ・ダルク	中世《ちゅうせい》ヨーロッパ
5	長安《ちょうあん》の都《みやこ》とシルク・ロード	中国《ちゅうごく》と東西交流《とうざいこうりゅう》
6	マホメットとイスラムの国《くに》ぐに	イスラム世界《せかい》
7	草原《そうげん》の王者《おうじゃ》チンギス・ハン	モンゴル帝国《ていこく》の出現《しゅつげん》
8	ルネサンスと大航海時代《だいこうかいじだい》	近世《きんせい》ヨーロッパ
9	アメリカの独立《どくりつ》と南北戦争《なんぼくせんそう》	アメリカ合衆国《がっしゅうこく》の発展《はってん》
10	エリザベス女王《じょおう》とルイ十四世《せい》	絶対王政《ぜったいおうせい》の時代《じだい》
11	ナポレオンと激動《げきどう》するヨーロッパ	産業革命《さんぎょうかくめい》とフランス革命《かくめい》
12	ヨーロッパのアジア進出《しんしゅつ》	帝国主義《ていこくしゅぎ》の時代《じだい》
13	第一次世界大戦《だいいちじせかいたいせん》とロシア革命《かくめい》	第一次世界大戦《だいいちじせかいたいせん》
14	アメリカとゆれうごく世界《せかい》	大恐慌《だいきょうこう》の時代《じだい》
15	ヒトラーと第二次世界大戦《だいにじせかいたいせん》	第二次世界大戦《だいにじせかいたいせん》
16	輝《かがや》かしい未来《みらい》への幕《まく》あけ	今日《こんにち》の世界《せかい》

世界の歴史
別巻3

◆ 世界の歴史 人物事典《じんぶつじてん》
◆ 世界の歴史 できごと事典《じてん》
◆ 世界《せかい》の歴史《れきし》年表《ねんぴょう》

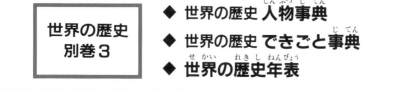

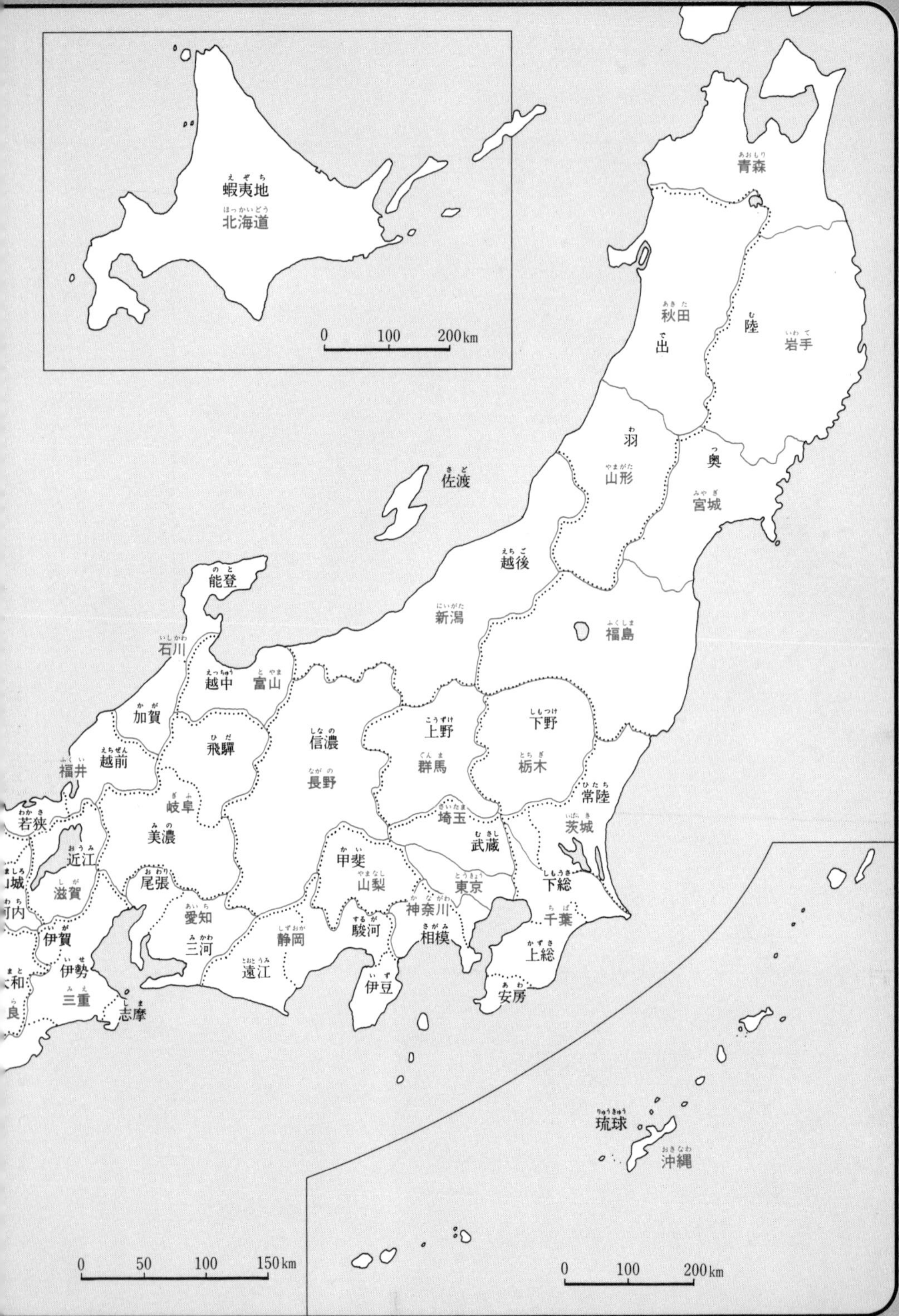
蝦夷地《えぞち》
北海道《ほっかいどう》
0 100 200km
青森《あおもり》
秋田《あきた》
出《で》
陸《む》
岩手《いわて》
羽《わ》
奥《つ》
山形《やまがた》
宮城《みやぎ》
佐渡《さど》
越後《えちご》
能登《のと》
新潟《にいがた》
福島《ふくしま》
石川《いしかわ》
越中《えっちゅう》
富山《とやま》
加賀《かが》
信濃《しなの》
上野《こうずけ》
下野《しもつけ》
飛騨《ひだ》
越前《えちぜん》
福井《ふくい》
長野《ながの》
群馬《ぐんま》
栃木《とちぎ》
常陸《ひたち》
岐阜《ぎふ》
若狭《わかさ》
美濃《みの》
埼玉《さいたま》
茨城《いばらき》
武蔵《むさし》
近江《おうみ》
城
甲斐《かい》
尾張《おわり》
山梨《やまなし》
東京《とうきょう》
下総《しもうさ》
滋賀《しが》
内
愛知《あいち》
神奈川《かながわ》
千葉《ちば》
伊賀《が》
静岡《しずおか》
駿河《するが》
相模《さがみ》
三河《みかわ》
上総《かずさ》
伊勢《いせ》
和
遠江《とおとうみ》
伊豆《いず》
三重《みえ》
良
志摩《しま》
安房《あわ》
琉球《りゅうきゅう》
沖縄《おきなわ》
0 50 100 150km
0 100 200km